Mantenha vivo o amor
enquanto as memórias se apagam

Mantenha vivo o amor enquanto as memórias se apagam

As 5 linguagens do amor para o cuidado com o Alzheimer

DEBORAH BARR
EDWARD G. SHAW
GARY CHAPMAN

Traduzido por Emirson Justino

Copyright © 2016 por Gary Chapman, Deborah Barr e Edward G. Shaw.
Publicado originalmente por Northfield Publishing, Chicago, Illinois, EUA.

Os textos bíblicos foram extraídos da *Nova Versão Transformadora* (NVT), da Tyndale House Foundation, salvo indicação específica.

Todos os direitos reservados e protegidos pela Lei 9.610, de 19/02/1998.

É expressamente proibida a reprodução total ou parcial deste livro, por quaisquer meios (eletrônicos, mecânicos, fotográficos, gravação e outros), sem prévia autorização, por escrito, da editora.

CIP-Brasil. Catalogação na publicação
Sindicato Nacional dos Editores de Livros, RJ

B252m

Barr, Deborah
Mantenha vivo o amor enquanto as memórias se apagam : as 5 linguagens do amor para o cuidado com o Alzheimer / Deborah Barr , Edward G. Shaw , Gary Chapman ; tradução Emirson Justino. - 1. ed. - São Paulo : Mundo Cristão, 2023.
256 p.

Tradução de: Keeping love alive as memories fade
ISBN 978-65-5988-173-4

1. Alzheimer, Doença de - Pacientes - Cuidado e tratamento. I. Shaw, Edward G. II. Chapman, Gary. III. Justino, Emirson. IV. Título.

22-80343 CDD: 616.831
CDU: 616.89-008.461-053.9

Gabriela Faray Ferreira Lopes - Bibliotecária - CRB-7/6643

Edição
Denis Timm

Revisão
Natália Custódio

Produção
Felipe Marques

Diagramação e adaptação de capa
Marina Timm

Colaboração
Ana Luiza Ferreira

Publicado no Brasil com todos os direitos reservados por:

Editora Mundo Cristão
Rua Antônio Carlos Tacconi, 69
São Paulo, SP, Brasil
CEP 04810-020
Telefone: (11) 2127-4147
www.mundocristao.com.br

Categoria: Relacionamentos
1ª edição: agosto de 2023

Dedicado a Rebecca Easterly Shaw,
Filha, irmã, esposa, mãe e amiga amorosa.

Sumário

Prefácio	9
Uma palavra de Gary	11
1. Ed e Rebecca: Uma história de amor	15
2. Amor: Está tudo na sua cabeça	34
3. A doença de Alzheimer coloca o amor à prova	70
4. Cada dia é o melhor dia	103
5. Facilitação do amor	136
6. Histórias de *hesed*	168
7. Vozes da experiência	197
8. A jornada que ninguém quer fazer	216
Apêndice A: 40 maneiras de dizer "eu amo você" nos estágios intermediário e avançado da demência	223
Apêndice B: Para saber mais	227
Apêndice C: Recursos sugeridos	237
Agradecimentos	244
Notas	246

Prefácio

Não posso expressar adequadamente o meu sincero apoio a este livro, e sei que você também vai considerá-lo comovente. Escrever este prefácio foi difícil para mim porque, como é relatado no capítulo 1, Ed e Rebecca Shaw (Becky, como eu a conheço) e suas filhas, Erin, Leah e Carrie, já foram meus vizinhos. Nossas famílias cresceram juntas. Eu e minha família — minha esposa, Diane, e nossos filhos, Lindsay e Matt — éramos melhores amigos da família Shaw.

Depois que a família Shaw se mudou para a Carolina do Norte, quando Ed me ligou para expressar sua preocupação com a memória de Rebecca, então com 53 anos, eu não conseguia acreditar. Ed e Rebecca viajaram para Rochester para que eu pudesse avaliar Rebecca. Infelizmente, a avaliação confirmou que aquela pessoa relativamente jovem, brilhante e dedicada estava mesmo começando sua jornada com a doença de Alzheimer. Tendo isso como pano de fundo, gostaria de dizer que Ed, junto com Deborah Barr e o Dr. Gary Chapman, escreveram o que eu acredito ser o livro mais emocionalmente carregado e extremamente perspicaz sobre os desafios de relacionamento que as famílias enfrentarão durante o doloroso curso da doença de Alzheimer.

Nunca encontrei uma alma gêmea e um cuidador mais dedicado do que Ed, que deixou uma carreira de sucesso como oncologista para dedicar sua vida a cuidar de sua Rebecca. Ao longo do caminho, ele obteve treinamento profissional adicional em saúde mental e cuidados com demência, a fim de ajudar outras pessoas que estão trilhando o mesmo caminho. O resultado é este trabalho, construído sobre o amor de Ed por Rebecca e a experiência de aconselhamento e a experiência de Deborah como educadora de saúde, além da estrutura de Gary com as cinco linguagens do amor, rendendo conselhos práticos para os cônjuges, familiares, cuidadores e profissionais de saúde envolvidos no cuidado daqueles com Alzheimer e outras demências.

Tendo o amor como seu tema principal, este livro é um recurso inestimável para cuidadores de todas as esferas da vida. Ele descreve estratégias para manter um vínculo emocional com uma pessoa que tem demência, preservando a dignidade do indivíduo e respeito próprio ao longo da doença. Este livro também descreve bem a natureza sacrificial da prestação de cuidados, oferece uma estrutura simples para abordar comportamentos desafiadores e fornece informações básicas sobre o cérebro e as mudanças que ele sofre ao longo da doença.

Se Rebecca fosse capaz de ler este livro, ficaria orgulhosa do que inspirou. Este trabalho maravilhoso é inteiramente condizente com o tipo de pessoa que ela é.

RONALD C. PETERSEN, MD, PhD
Professor de Neurologia, professor Cora Kanow de Pesquisa sobre a Doença de Alzheimer, pesquisador da Clínica Mayo, diretor do Centro de Pesquisa da Doença de Alzheimer da Clínica Mayo, diretor de Estudos de Envelhecimento da Clínica Mayo
Rochester, MN

Uma palavra de Gary

Quando Debbie me falou sobre trabalhar com ela e o dr. Shaw para escrever este livro, fiquei interessado na mesma hora. Interessado primeiro por saber, com alegria, que o dr. Shaw usava *As 5 linguagens do amor* no aconselhamento daqueles que trilhavam a jornada do Alzheimer. Em segundo lugar, interessei-me porque, como conselheiro pastoral, aconselhei muitas famílias que se viram lançadas nessa jornada indesejada. Pelo lado pessoal, presenciei meu cunhado, que era um brilhante professor universitário, declinar gradualmente para o estágio final da doença de Alzheimer. Senti profundamente por sua esposa, que o manteve em casa o quanto pôde, e então tomou a difícil decisão de interná-lo em uma clínica especializada. Seus filhos adultos experimentaram a dor da perda do pai antes de sua morte.

Senti-me grandemente encorajado ao participar de vários grupos de apoio para cuidadores organizados pelo dr. Shaw. A maioria desses grupos é composta de cônjuges de pacientes de Alzheimer. A dedicação deles ao amor intencional e sacrificial me deixa maravilhado. O sorriso em seu rosto ao receberem uma pequena resposta amorosa do cônjuge reflete sua profunda satisfação por aquilo que fazem. Depois, quando o paciente já não é capaz de responder, é por demais recompensador ver os cônjuges optarem por continuar a expressar amor nas cinco linguagens, na esperança de que, pelo menos por um momento, os pacientes se sintam amados. Uma esposa disse: "Continuo amando por mim mesma e por meu marido. Quando o fim chegar, quero olhar para trás e não ter nenhum arrependimento".

Praticamente todo mundo concorda que nossa necessidade emocional mais profunda é amar e ser amado. Acredito que, quando alguém se torna incapaz de dar amor, ainda é capaz de receber amor. Observei isso pela primeira vez na casa de repouso onde minha mãe viveu o último ano de sua vida. Quando eu entrava pelo corredor repleto de cadeiras de rodas, as pessoas sentadas nelas estendiam os braços e emitiam sons ininteligíveis. Quando eu respondia me curvando e abraçando-as, elas "derretiam em meus braços". Eu lhes dizia palavras de afirmação e o espírito delas se acalmava e, pelo menos por aquele momento, a vida era bela. Mais tarde, encontrei um capelão que cantava para os pacientes que já não se expressavam verbalmente. Surpreendentemente, alguns começavam a bater os pés no ritmo da música, e outros até mesmo cantavam as palavras com ele. Não eram capazes de falar, mas a música tocava alguma coisa no cérebro, e este respondia.

É interessante como muitos daqueles cuidadores que demonstravam amor intencional e sacrificial pelo membro da família que estava sofrendo os efeitos da doença de Alzheimer tinham uma forte fé em Deus. Mais de um deles disse: "Eu não conseguiria fazer isso sem Deus e sem minha família da igreja". Estou convencido de que Deus deseja que todos experimentem seu amor e que o compartilhem com todos que encontrarem. Por natureza, somos egoístas — amamos aqueles que nos amam. Quando recebemos o amor de Deus, somos capacitados a amar até mesmo aqueles que não nos amam ou que não são capazes de fazê-lo. Esse é o amor que tenho visto muitos cuidadores demonstrarem.

Quando descobri o conceito das cinco linguagens do amor em minha prática de aconselhamento, não sonhava que o livro venderia mais de dez milhões de exemplares em inglês e que seria traduzido para mais de cinquenta idiomas em todo o mundo. A série de livros que se seguiu — como *As 5 linguagens do amor das crianças* e as versões para adolescentes, solteiros, homens e casais militares — ajudou milhões de pessoas a expressar amor mais efetivamente no casamento, na criação dos filhos e nas amizades. Nunca pensei em suas implicações para a jornada do Alzheimer. Contudo, estou animado para ver como este livro ajudará aqueles que trilham esse caminho não escolhido. Se considerar o livro útil, espero que o compartilhe com seus amigos que trilham uma estrada semelhante.

GARY CHAPMAN, PhD
Winston-Salem, NC, EUA

1

Ed e Rebecca: Uma história de amor

Era uma linda manhã de agosto de 2013 na Carolina do Norte. Rebecca e eu (Ed) estávamos tomando nosso café na varanda do quintal, como parte de nosso ritual de todas as manhãs. Sem qualquer aviso, o horrível momento que eu temia havia tanto tempo finalmente chegou. Rebecca olhou para mim e disse:

— Não faço a menor ideia de quem você é.

Sua expressão distante confirmava que ela de fato falava sério.

— Mas, querida, sou Ed, seu marido. Você é minha esposa. Estamos casados há 33 anos.

Essa afirmação, mais parecida com um apelo, não ajudou. A dor do momento me fez deixar a varanda e entrar em casa. Com lágrimas escorrendo pelo rosto, parei em frente ao retrato de nossa família, tirado apenas alguns meses antes, no Dia de Ação de Graças. Olhei para o rosto de nossa filha, Erin, de seu marido Darian, de Paul, seu filho de dois anos, de nossas outras duas filhas, Leah e Carrie, da doce Rebecca e para o meu. Fui tomado pela necessidade de conversar com uma das meninas. Liguei primeiro para Leah. Quando ela atendeu, não houve palavras, apenas gemidos profundos e tremores, que começaram nos meus pés, alcançaram meu coração e brotaram em meus olhos, escorrendo como uma torneira com defeito.

— Mamãe se esqueceu de nós. Acabou.

Pensei muitas vezes naquela manhã fatídica, fazendo-me a mesma pergunta sem resposta: como é possível que 37 anos de um relacionamento amoroso e um terço de século de casamento tenham desaparecido da mente de Rebecca da noite para o dia?

Rebecca Lynn Easterly e eu começamos a namorar no outono de 1976. Éramos alunos da Universidade de Iowa, onde ambos cursávamos o segundo ano, ela em distúrbios da fala e eu na preparação para medicina. Em 30 de outubro, no meu aniversário de 19 anos, convidei-a para sair. Ela estava sentada no grêmio estudantil, estudando ao lado de uma xícara de café, e era linda. Cabelos loiros lisos como seda, pernas longas, usando um top de ginástica azul, calça boca de sino e um rosto que irradiava bondade. Já havíamos nos encontrado rapidamente no ano anterior. Esperava que ela se lembrasse de mim. Depois de criar coragem para me apresentar novamente, ela aceitou meu convite para nosso primeiro encontro. Na semana seguinte, fomos dançar e jantar no Brown Bottle, um restaurante icônico da Cidade de Iowa. Durante e depois do jantar, conversamos, conversamos e conversamos. Tínhamos muita coisa em comum. Embora nós dois tivéssemos pais alcoólicos, compartilhávamos o amor pela família, especialmente por filhos, e o apreço pela natureza como um reflexo da mão do Criador (embora, naquela época, eu fosse um agnóstico convicto). Levei-a para casa, compartilhamos nosso primeiro beijo e ambos sabíamos que estávamos apaixonados. Três semanas depois, conversamos sobre casamento e o desejo de ter três filhas. Três anos e meio depois, nós nos casamos.

Rebecca formou-se *summa cum laude*, com notas quase perfeitas, fazendo parte do seleto grupo de melhores alunos de sua

> Como é possível que 37 anos de um relacionamento amoroso tenham desaparecido da mente de Rebecca da noite para o dia?

turma. Mais tarde, ela recebeu o grau de mestre em distúrbios da fala pela Universidade de Iowa. Depois de completar meus estudos preliminares de medicina, fui para a Escola de Medicina da Rush Medical College, em Chicago. Em maio de 1983, fomos para o norte, para a Clínica Mayo, em Rochester, Minnesota, com Erin, de três semanas de idade, a tiracolo. Ali, completei meu estágio e minha residência em radiologia oncológica e continuei como médico atendente, iniciando carreira como especialista em tumores cerebrais. Nossa segunda filha, Leah, nasceu em 1985 e, três anos mais tarde, Carrie completou o trio de filhas com que havíamos sonhado durante o namoro. Passamos 12 anos em Rochester, felizes e cercados por familiares e amigos.

Em 1995, fomos para o sudeste dos Estados Unidos, para Winston-Salem, na Carolina do Norte, e para a Escola de Medicina de Wake Forest, depois de receber uma oferta boa demais para ser recusada: eu assumiria o cargo de diretor da área de radiologia oncológica e teria a oportunidade de estabelecer um programa de pesquisa sobre como o câncer no cérebro e seus tratamentos afetam a **função cognitiva** do cérebro (as palavras em negrito são definidas no final do capítulo). Saímo-nos bem como sulistas. Erin, Leah e Carrie marcharam pelas fileiras do ensino básico, fundamental e médio e, então, da faculdade. Por todos esses anos, Rebecca foi a "supermãe". Munida de agenda, bondade e graça, ela organizou, alimentou e nutriu nossa família enquanto eu estava ocupado vendo pacientes, publicando artigos em jornais especializados, lecionando e obtendo fundos para pesquisas.

Na primavera de 2005, enquanto nossa família se preparava com entusiasmo para o casamento de Erin e Darian, Erin percebeu algo estranho: nossa "supermãe" tinha dificuldades para gerenciar os detalhes do planejamento da cerimônia. Tudo

MANTENHA VIVO O AMOR ENQUANTO AS MEMÓRIAS SE APAGAM

acabou se ajeitando e, em maio, celebramos o casamento de nossa filha mais velha. Um ano depois, passamos por um período de luto em função da morte de Leslie, irmã mais velha de Rebecca, devido a um câncer de cólon. Essa foi a primeira tragédia que nossa família mais ampla experimentou. Rebecca entristeceu-se profundamente com a morte de Leslie, uma vez que elas haviam sido almas gêmeas. Durante todo o verão, o outono e o inverno de 2006, bem como a primavera de 2007, Rebecca permaneceu triste. Ela estava distante, um pouco desorganizada e esquecida. Atribuí isso ao luto e ao processo gradual de esvaziamento do ninho até uma manhã de sábado. Estávamos sentados, eu lendo o jornal e Rebecca folheando a última edição da *U.S. News and World Report*. Rebecca disse:

— Já li este artigo três vezes e não consigo me lembrar de nada do que ele diz.

Na idade dela, 53, eu sabia que aquilo não era normal.

Em um dia da semana seguinte, meu carro estava na oficina. Rebecca me pegaria no trabalho às 17h30 e me levaria até a concessionária para retirar o carro. Normalmente pontual, ela não chegou na hora. Às 18h, telefonei para ela, um pouco irritado.

— Você vem me pegar?

Ela não fazia a menor ideia de que deveria me pegar no trabalho.

— Tudo bem, já estou saindo — disse ela.

Morávamos a apenas 10 minutos do centro médico, mas ela só chegou às 18h30.

— Por que você demorou? — indaguei.

— Ah, peguei um caminho diferente para chegar até aqui.

Quando ela me descreveu a rota, percebi que ela havia se perdido no caminho. Sempre me admirei com o senso de direção de Rebecca e até apelidei-a de "bússola humana". Naquele momento, fiquei realmente preocupado.

A Escola de Medicina de Wake Forest é bem conhecida tanto pela pesquisa quanto pelos cuidados na área de geriatria. Em meados de 2007, marquei uma consulta para Rebecca com o dr. Jeff Williamson, chefe da geriatria, e um conhecido especialista em **demência**. Em sua avalição inicial, o dr. Williamson diagnosticou Rebecca com depressão e receitou um antidepressivo.

— Vamos ver se as coisas melhoram depois de alguns meses de medicação. A depressão costuma ser uma das causas da perda de memória.

Mas pude ver que ele estava preocupado com a possibilidade de que algo mais estivesse acontecendo. Eu também estava.

Uma vez que os sintomas não melhoraram, o dr. Williamson decidiu pedir exames de sangue e uma ressonância magnética do cérebro de Rebecca, além de avaliar algumas de suas **funções cognitivas,** como atenção, memória, linguagem, multitarefa e noção espacial. Os exames de sangue apresentaram resultado normal, mas a ressonância mostrou um leve encolhimento do cérebro de Rebecca, especialmente nas regiões que controlam a memória e as habilidades espaciais. A avaliação cognitiva confirmou perda de memória de curto prazo e de habilidades espaciais em níveis desproporcionais para o que se esperava para a idade e o nível educacional de Rebecca.

O dr. Williamson nos disse:

— Meu diagnóstico é algo chamado **comprometimento cognitivo leve (CCL),** uma condição que costuma levar à doença de Alzheimer. Penso que você deve buscar uma segunda opinião. Rebecca é jovem demais para ter Alzheimer, especialmente pelo fato de ela não ter nenhum histórico familiar da doença.

Nosso vizinho em Rochester, Minnesota, era um neurologista da Clínica Mayo chamado Ronald Petersen. Ele e Diane, sua esposa, tinham dois filhos quase da mesma idade das nossas meninas. Diane e Rebecca costumavam se revezar para levar as crianças à escola, uma vez que elas frequentavam a mesma escola fundamental. Carinhosamente chamado por nós de "RP", o dr. Petersen era um especialista em doença de Alzheimer reconhecido nacional e internacionalmente. De fato, foi sua pesquisa que levou à descoberta do CCL como precursor da doença de Alzheimer. Obter uma segunda opinião com ele parecia lógico. Ele não apenas era "o melhor" especialista em demência do mundo, como também conhecia Rebecca havia 20 anos.

No início do verão de 2008, passamos uma semana na Clínica Mayo, onde Rebecca passou por uma avaliação ampla para encontrar a causa de sua perda de memória. Além dos exames de sangue, de uma punção lombar e de testes neuropsicológicos mais acurados, o dr. Peterson pediu um exame de ressonância magnética especial e duas tomografias por emissão de pósitrons (TEP). Uma das TEPs tinha o propósito de revelar o metabolismo do cérebro de Rebecca; a outra, um tipo novo de TEP, foi feita para revelar a amiloide, uma proteína que se concentra de maneira anormal no cérebro, causando inflamação, deterioração e encolhimento. A amiloide, juntamente com outra proteína, a tau, formam as **placas e emaranhados**, que se crê serem a causa do dano cerebral da doença de Alzheimer.

A despeito de nossas grandes esperanças e fervorosas orações no sentido contrário, o diagnóstico foi definitivo: **doença de Alzheimer precoce**. O prognóstico: de 8 a 10 anos de expectativa de vida, declínio progressivo de todas as funções cerebrais, a necessidade de cuidadores profissionais e a possível mudança para uma casa de repouso.

Depois de receber as notícias, Rebecca e eu nos dirigimos, em silêncio, ao aeroporto de Minneapolis para pegar nosso voo de volta para casa. No caminho, choramos, trocando olhares cheios de tristeza, medo e incerteza. Em Pine Island, uma pequena cidade ao norte de Rochester onde Rebecca havia trabalhado como professora no ensino fundamental, encostei o carro. Precisávamos conversar. Rebecca me perguntou:

— O que isso significa para nós? E para as meninas?

> Enquanto chorávamos, nos abraçamos, falando de nosso amor um pelo outro em silêncio.

Ela já havia se esquecido do que o dr. Petersen tinha dito, de modo que lhe contei novamente. Então, enquanto chorávamos, nos abraçamos, falando de nosso amor um pelo outro em silêncio, reafirmando os votos que fizéramos um ao outro 28 anos antes.

Com a voz cheia de tristeza, Rebecca disse:

— Não quero ser um fardo. Quero que Erin, Leah e Carrie vivam sua vida, corram atrás de seus sonhos e não deixem que isso as atrapalhe. Vou ficar bem. Sei que Deus me ama e que cuidará de mim. A eternidade no céu é tão real para mim quanto a vida nesta terra.

Essa foi a única vez que falamos diretamente sobre a doença de Alzheimer.

Nos anos que se seguiram, a demência de Rebecca progrediu implacavelmente pelos estágios da doença de Alzheimer. Na primavera de 2010, sua capacidade de dirigir havia deteriorado a ponto de que não era mais seguro deixá-la guiar seu Fusca vermelho brilhante. Dirigir-se de casa a locais até mesmo próximos havia se tornado por demais desafiador. Em uma ocasião, uma conversão errada levou-a várias cidades ao sul de

Winston-Salem, a cerca de 40 quilômetros de casa. Arranhões apareceram misteriosamente na lateral de seu carro. Ela dirigia muito lentamente, parando no meio da estrada quando não tinha certeza do caminho a seguir. Finalmente, as chaves do carro precisaram ser tiradas dela. Ela protestou:

— Não entendo por que não posso mais dirigir. Nunca recebi uma multa nem me envolvi em um acidente. Isso é injusto.

Assim como tantas outras pessoas com demência, ela não fazia ideia de como a doença estava lhe roubando lentamente as habilidades, levando-a rumo à incapacidade.

Pouco depois de Rebecca ter desistido das chaves de seu carro, nós dois fizemos uma viagem de carro às montanhas Pocono. Fizemos uma parada na fábrica da Crayola, o que trouxe ternas lembranças de Rebecca e de nossas três filhas colorindo desenhos na mesa da cozinha quando eram menores. O que esperávamos que fosse uma aventura divertida transformou-se em amargor quando Rebecca deixou a bolsa sob um banco enquanto assistia a uma apresentação sobre o processo de fabricação do giz de cera. Infelizmente, só demos pela falta da bolsa depois que a fábrica da Crayola já havia fechado. Passamos a noite ali perto e voltamos na manhã seguinte, mas a bolsa não foi encontrada. Fizemos um boletim de ocorrência na delegacia e partimos. Esse imprevisto irritou Rebecca profundamente. Enquanto partíamos, ela disse com os olhos cheios de lágrimas:

— Odeio o meu cérebro.

Mais tarde, naquele mesmo verão, enquanto caminhava para o supermercado, Rebecca se perdeu. Quando estava prestes a entrar numa das mais movimentadas ruas da cidade, Elizabeth, uma amiga da família, passou de carro por ali e viu Rebecca olhando para as placas de rua. Estava claro que Rebecca tentava descobrir onde estava. Elizabeth encostou o carro, abriu a janela e chamou Rebecca.

— Para onde você vai?

— Para o mercado — respondeu Rebecca.

— Entre aqui. Dou uma carona para você — ofereceu Elizabeth, percebendo que Rebecca estava caminhando na direção oposta à do mercado.

Até hoje, nossa família considera Elizabeth um anjo da guarda e ficamos pensando o que poderia ter acontecido se ela não estivesse naquele lugar naquele momento.

Pouco depois do incidente do mercado, contratamos a primeira cuidadora de Rebecca. Erica, que tinha formação como auxiliar de enfermagem, passava os dias da semana acompanhando Rebecca em sua jornada pela doença de Alzheimer. Num período de quatro anos, Rebecca exigiria a presença de cuidadores 24 horas por dia. Essa equipe — carinhosamente chamada de "Equipe A" (porque o nome de todas elas, Letisa, Fatima, Tasha e Florina terminavam todos com a letra "a", como Rebecca) — ainda está conosco, cuidando de Rebecca dia e noite.

Ao olhar para trás, eu preciso dizer que os dias mais difíceis e desafiadores da jornada de Alzheimer de Rebecca foram os quatro meses que se seguiram àquele dia horrível de 2013, quando ela "perdeu" as meninas e a mim. Ela ficou bastante agitada, especialmente entre o pôr do sol e o início da noite (essa alteração no comportamento é conhecida como **"Síndrome do crepúsculo"**.

— Quero ir para casa — dizia ela, marchando pela casa de porta em porta, tentando escapar.

— Mas você está em casa, querida — eu lhe dizia. — Esta é a nossa casa.

Ela não se consolava. Rebecca ansiava por sua casa da infância, um pequeno bangalô em sua cidade natal, Cedar Rapids,

Iowa, onde vivera na segunda metade da década de 1960. Eu precisava impedir fisicamente suas tentativas de sair enquanto ela me socava e chutava, comportamentos por demais atípicos para a doce e gentil Rebecca. O dr. Williamson prescreveu uma medicação que reduzia a agressividade de Rebecca, mas também a deixava distante e profundamente deprimida. Durante esse tempo, ela se deitava na cama ou no sofá e soluçava inconsolavelmente. O dr. Williamson então tentou um medicamento diferente que, com o tempo, reduziu sua agitação e estabilizou seu humor, ajudando-a a dormir melhor.

> Estávamos separados por apenas alguns metros, mas eu sentia como se estivéssemos a um milhão de quilômetros de distância.

Depois que Rebecca deixou de me reconhecer como seu marido, continuamos a dormir na mesma cama, mas ela me dava as costas e ficava na beira da cama, o mais longe que conseguisse sem cair. Certa noite ela ficou bastante agitada e me disse que não queria que eu dormisse na mesma cama que ela, de modo que coloquei um sofá-cama no canto de nosso quarto. Naquelas primeiras noites, não consegui dormir, de tanto sofrimento. Estávamos separados por apenas alguns metros, mas eu sentia como se estivéssemos a um milhão de quilômetros de distância.

Logo no início de nosso casamento, Rebecca e eu descobrimos que ambos adormecíamos mais facilmente se estivéssemos encostados um no outro, fosse "de conchinha", quando ambos olhávamos para a mesma direção, com meu braço em torno dela, ou olhando para lados opostos, mas com as costas encostadas. Às vezes não caíamos no sono direto. Em vez disso, fazíamos amor e então passávamos algum tempo juntos, nos braços um do outro, falando sobre quão abençoados éramos por ter um ao outro e pelas nossas filhas Erin, Leah e Carrie. Nos primeiros meses em que comecei a dormir separado no sofá-cama, eu ficava acordado, literalmente doente de desejo de tocar Rebecca, de deitar na cama com ela, de senti-la. Durante esses meses, tive várias conversas longas com Deus, agradecendo-lhe por nos unir como marido e mulher, por nos abençoar com filhas maravilhosas, mas, ao mesmo tempo, perguntava como eu poderia amar aquela mulher sem conseguir tocá-la. Com essa perda, dei início à minha própria jornada de solidão e celibato.

No início de 2014, mudei-me para meu próprio quarto, uma vez que Rebecca levantava diversas vezes durante a noite. Essa situação me impedia de dormir o suficiente para ter um bom desempenho no trabalho. Ela também não tinha mais a percepção de dia da semana, mês, estação ou ano. Não conseguia ler ou escrever, nem sequer assinar o próprio nome ou somar dois e dois. Outro desafio foi a orientação espacial. Ela havia perdido a capacidade de centralizar o corpo na cadeira ou no sofá e precisava de ajuda para o simples ato de sentar, incluindo o vaso sanitário. Com esses declínios adicionais, cuidadoras para a noite e a madrugada foram adicionadas à Equipe A. Isso significava que Rebecca e eu nunca mais teríamos uma noite sozinhos em casa, juntos. A sensação era de que não havia nenhuma parte de nossa vida que a doença de Alzheimer não tivesse levado ou alterado.

Nos dois anos seguintes, Rebecca entrou no estágio final da doença de Alzheimer. Ela vive apenas o agora, sem nenhuma lembrança do passado e nenhuma ideia do futuro. Passa os dias pintando na mesa da cozinha, montando quebra-cabeças simples e partindo galhos em pequenos pedaços. Não inicia nenhuma conversa, fala de maneira ininteligível e frequentemente precisa ouvir repetidas vezes o que lhe é dito até conseguir entender. Caminha instável e lentamente, sempre correndo o risco de cair. Por conta da instabilidade e da dificuldade em processar informações visuais, alguém precisa acompanhá-la e segurá-la o tempo todo. Devido à incontinência urinária, ela usa fraldas geriátricas. Precisa de ajuda para usar o banheiro, tomar banho e se vestir. Seus remédios precisam ser esmagados e misturados à comida, uma vez que ela não consegue mais engolir comprimidos. Apesar de tudo isso, ela é feliz na maior parte do tempo.

Embora ela já não me reconheça como seu marido, eu lhe sou familiar em algum nível. Na melhor das hipóteses, sou o homem bondoso que vive na mesma casa que ela. Meu amor por ela não se alterou. Quando volto para casa depois do trabalho, meu tempo é todo para Rebecca. Para mim, é importante fazer seu jantar e ajudá-la a comer. O sorriso no rosto dela quando recebe a sobremesa — é sempre sorvete, na casquinha ou em um pote — traz muita alegria a mim e a ela. Depois disso, nos sentamos no sofá e assistimos a antigos musicais em DVD. O favorito dela é *A noviça rebelde*, que já vimos, juntos, centenas de vezes. Para Rebecca, a familiaridade de cada canção é reconfortante. Para mim, é um momento em que estamos fisicamente próximos, talvez segurando as mãos, estando presente um para o outro. A hora de dormir também é um momento especial. Depois que as cuidadoras a preparam para dormir e a colocam na cama, passo cinco ou dez minutos dizendo boa noite, nosso único momento a sós durante todo o dia. Ela permite que eu a beije no rosto ou na testa. Eu lhe digo:

— Eu amo você. Amo você mais do que qualquer outra coisa no mundo. Você é a pessoa mais doce que qualquer homem poderia ter. E estamos casados. Estamos casados há 35 anos. Temos três filhas, chamadas Erin, Leah e Carrie. Elas amam você e sabem que tiveram a melhor mãe do mundo. Vejo você pela manhã. Durma bem, pois logo a manhã vem (esta é uma frase que sempre dizíamos às meninas).

Às vezes Rebecca diz "obrigada". De vez em quando, ela murmura algo que parece um "eu também amo você". Na maioria das vezes, seus olhos estão fechados e ela já está adormecida.

No natal de 2015 toda nossa família se reuniu. Nós nos conectamos com Rebecca, amando-a como conseguíamos, e ela era amada. Erin compartilhou um abraço de bom dia e se sentou com Rebecca para tomar o café da manhã, como fazia desde o ensino médio. Leah tocou músicas conhecidas em seu violão enquanto ela e Rebecca cantavam juntas. Carrie se aninhou no sofá perto de Rebecca, com a cabeça no ombro da mãe. Meu jeito favorito de acrescentar diversão era roubar alguns beijos no rosto e no pescoço de Rebecca, o que normalmente a fazia rir como uma colegial e dizer "eca!" enquanto limpava a bochecha. A mãe de Rebecca nos visitou, trazendo biscoitos frescos. As amigas dela trouxeram flores, e a irmã e a cunhada vieram para simplesmente passar um tempo com ela. Suas cuidadoras mostraram amor de seu próprio jeito: escovaram seu cabelo, pintaram suas unhas e lhe deram de presente uma linda blusa. Até mesmo Paul, nosso neto, juntou-se à avó para ajudá-la a completar um quebra-cabeças simples ou compartilhar um lápis de cor e pintar a mesma página que ela. Optamos intencionalmente por experimentar a alegria da presença de Rebecca, em vez de nos fixar na possibilidade de que esse poderia muito bem ser nosso último Natal juntos como família completa.

Rebecca está hoje no nono ano de sua jornada do Alzheimer e não sei quanto tempo mais durará. Tem sido uma jornada longa e difícil — emocional, física e espiritualmente —, uma jornada que eu não gostaria de estar fazendo. Contudo, foram muitas as coisas que aprendi — sobre Rebecca, sobre mim e sobre nós — por causa dessa jornada. Sei que, se a situação fosse inversa — se eu estivesse com demência e Rebecca fosse minha **parceira de cuidado** —, ela teria cuidado de mim com o mesmo nível de compromisso que tenho tido com ela. Também sei que, se eu pudesse, de alguma maneira, carregar esse fardo para ela, trocar seu cérebro doente pelo meu cérebro normal, eu o faria sem pensar nem por um segundo, apenas para saber que ela seria capaz de viver até uma idade avançada ciente de ser amada. Se eu tivesse sabido antes de nos casarmos que ela desenvolveria Alzheimer precoce, ainda assim eu teria me casado com ela, "sem pestanejar". A vida que temos tido — agora são 40 anos juntos, 36 dos quais como casados, três filhas, um genro e dois netos — é muito mais do que poderíamos ter sonhado. E eu aprendi, pela graça de Deus, a encontrar uma fonte inesgotável de amor por Rebecca e a manter intimidade emocional com ela. Sei que, em algum nível, do jeito próprio dela, ela também me ama. Ao mesmo tempo em que o pensamento de perdê-la é insuportável para todos que a amam, somos confortados pelo conhecimento que temos de sua fé pessoal profunda e pela maneira como ela viveu sua vida por causa dessa fé.

EDWARD G. SHAW
Winston-Salem, NC

DEFINIÇÃO DE TERMOS

As palavras em negrito que aparecem na história de Ed são definidas e explicadas a seguir, juntamente com outros termos e dados sobre a doença de Alzheimer (DA). A compreensão desses termos e dados ajudará você a tirar o máximo proveito dos demais capítulos deste livro.

Comprometimento cognitivo leve (CCL). O CCL é uma "área cinzenta" entre a perda de memória natural ligada à idade e a perda de memória causada por uma doença de Alzheimer leve. Uma pessoa com CCL tem mais problemas de memória do que outras de mesma idade e nível educacional. Elas podem ter dificuldade de lembrar nomes e podem esquecer compromissos ou eventos sociais. Podem ter dificuldade de acompanhar o fio de uma conversa, um livro ou um filme. A tomada de decisões ou as tarefas que exigem planejamento podem parecer avassaladoras. Mudanças súbitas na personalidade da pessoa podem se manifestar. Contudo, esses problemas em geral não são suficientemente sérios para interferir na vida diária. Embora a CCL progrida para DA ou outro tipo de demência em cerca de 70% dos casos, algumas pessoas nunca pioram, e algumas até podem acabar melhorando.

Demência. Não se trata de uma doença específica, mas, em vez disso, de um guarda-chuva que abrange uma ampla variedade de sintomas relacionados a perda de memória, declínio da função cognitiva ou alterações de personalidade. Existem muitos tipos de demência. A doença de Alzheimer é o tipo mais comum, representando 60% a 80% de todos os casos. Pelo fato de a maioria das demências ser causada pela DA, esta recebe a maior parte da atenção tanto da mídia quanto da classe médica. Graças ao livro *Para sempre Alice* (*best-seller* de Lisa Genova que inspirou o filme homônimo ganhador de vários prêmios), a uma infinidade de anúncios farmacêuticos na televisão e a pacientes famosos, como o ex-presidente norte--americano Ronald Reagan e o cantor Glen Campbell, quase todo mundo hoje já ouviu falar da doença de Alzheimer. Por essa razão, optamos por nos concentrar basicamente na DA. Nos capítulos a seguir, os termos *doença de Alzheimer*, *DA* e *demência* são usados de maneira intercambiável.

Doença de Alzheimer precoce. A maioria dos indivíduos diagnosticados com DA tem 65 anos ou mais (DA tardia). A doença de Alzheimer precoce começa antes dos 65 anos, normalmente afetando pessoas na faixa entre os 40 e 50 anos. A DA precoce é incomum, afetando apenas cerca de 5% dos que apresentam a DA (cerca de duzentas mil pessoas nos Estados Unidos).[1]

Função cognitiva. O cérebro apresenta cinco funções cognitivas:

- Atenção
- Memória e aprendizado
- Linguagem
- Função executiva (capacidade de planejar, resolver problemas, tomar decisões e multitarefa)
- Função visual-espacial (o aspecto *visual* nos permite reconhecer rostos; o aspecto *espacial* é o nosso "GPS" interno — a capacidade de perceber as relações entre os objetos em nosso campo visual)

A doença de Alzheimer se caracteriza por dificuldades progressivas de memória e aprendizado, da função executiva e visual-espacial. Na fase final, porém, todas as funções cognitivas são afetadas.

Parceiro de cuidado. O parceiro de cuidado é a principal pessoa a prover cuidado direto à pessoa com demência, sendo mais frequentemente um cônjuge ou um filho adulto. Nos Estados Unidos, Canadá e China, a maior parte da literatura e das fontes relacionadas à demência se refere a essa pessoa como *cuidadora*. Em outros países são usados termos semelhantes. Mesmo correndo o risco de gerar confusão, neste livro usamos principalmente o termo *parceiro de cuidado*. Preferimos esse termo, especialmente nos primeiros estágios da DA, porque ele é menos hierárquico, permitindo que a pessoa com a doença se sinta emocionalmente igual à que provê esse cuidado. Nossa observação é que os parceiros de cuidado da família tendem a prover cuidado com um senso de lealdade que se alinha à definição de *parceiro*: "O que está em parceria; sócio, cúmplice, companheiro de dupla" (dicionário Houaiss). Dessa forma, sentimo-nos mais confortáveis em aplicar o termo *cuidador* como referência aos profissionais pagos, em vez de aos membros da família. Ao mesmo tempo, reconhecemos que, por volta do estágio médio da doença, a parceria de cuidado assume um papel de *cuidado* no sentido mais literal da palavra.

PCD. Pessoa com demência. (Você verá essa abreviatura por todo o livro.)

Placas e emaranhados. Em 1906, o dr. Alois Alzheimer descobriu duas estruturas anormais no cérebro de pessoas que haviam morrido daquilo que hoje conhecemos como doença de Alzheimer. Hoje, essas estruturas anormais são chamadas de "placas e emaranhados". As placas são depósitos de proteína beta-amiloide (ou simplesmente "amiloide"). Os emaranhados neurofibrilares são fibras torcidas de outra proteína, chamada tau. As placas amiloides surgem nos espaços *entre* as células nervosas cerebrais (neurônios); os emaranhados de tau surgem *dentro* dos próprios neurônios. A maioria de nós desenvolve algumas placas e emaranhados com a idade; isso é normal. As pessoas com DA, porém, desenvolvem quantidades excessivas dessas proteínas, o que atrapalha a comunicação entre as células e causa inflamação no cérebro. Por fim, a presença tóxica das placas e dos emaranhados causa tantos danos que o neurônio morre. Conforme as placas e os emaranhados se espalham por todo o cérebro, ocorre a morte abundante de células. Com a morte dos neurônios, o cérebro encolhe, resultando em perda da função de memória e da função cognitiva, em mudanças de personalidade e na incapacidade progressiva de realizar as tarefas diárias corriqueiras. Embora o papel exato das placas e dos emaranhados não seja claramente compreendido, os cientistas sabem, hoje, que o acúmulo de amiloide pode ter início no cérebro de 10 a 20 anos antes do surgimento do primeiro sintoma de esquecimento.

Síndrome do crepúsculo (ou crepuscular, do entardecer, do pôr do sol, ou *sundowning*). A síndrome do crepúsculo é um estado de confusão que normalmente tem início no pôr do sol e se estende até as primeiras horas da noite. Entre os comportamentos desafiadores, podem ocorrer agitação, agressão, ansiedade, medo e perambulação. Alguns indivíduos expressam o desejo de "ir para casa", para um tempo e um lugar no passado, talvez na infância. A causa da síndrome do crepúsculo é desconhecida. Cerca de 18% dos portadores da DA a experimentam.[2]

DADOS SOBRE A DOENÇA DE ALZHEIMER NOS ESTADOS UNIDOS

- Em 2016, 5,4 milhões de norte-americanos apresentaram DA.
- Um em cada nove norte-americanos com 65 anos ou mais tem DA. Um terço das pessoas com 85 anos ou mais tem DA.
- Idosos afro-americanos têm o dobro de possibilidade de ter DA em comparação a brancos.
- Idosos hispânicos têm cerca de uma vez e meia mais possibilidade de ter DA em comparação a brancos.
- Cerca de dois terços dos doentes de Alzheimer são mulheres.
- A idade é o maior fator de risco para a DA.
- Dois terços de todos os cuidadores de pacientes com demência são mulheres. Mais da metade são filhos adultos que cuidam dos pais.
- Cerca de 250 mil filhos com idades entre 8 e 18 anos ajudam alguém a cuidar de uma pessoa com DA ou outro tipo de demência.
- Até o presente, não existe maneira de prevenir, curar ou retardar o progresso da doença de Alzheimer.

Fonte: Alzheimer's Association, *2016 Alzheimer's Disease Facts and Figures*.[3]

2

Amor: Está tudo na sua cabeça

Não há substituto para o amor do
cuidador de um paciente de Alzheimer.

BOB DEMARCO

A doença de Alzheimer afeta não apenas a pessoa que recebe o diagnóstico, mas a família inteira; é uma doença da família. Enquanto Ed e suas filhas sabem disso por experiência própria, do lado de cá nós (Gary e Debbie) também reconhecemos, com compaixão, a separação relacional e o trauma criados por essa doença. A DA afeta severamente os relacionamentos e possui o enorme potencial de arruiná-los por completo. O fato é que nem todas as amizades ou laços familiares resistem até o final da jornada do Alzheimer.

Ed às vezes descreve o dano relacional da DA como uma tapeçaria que está esgarçando. O belo desenho de um casamento, de uma família ou de uma amizade, tão amorosamente tecido no decorrer dos anos, é lentamente distorcido à medida que a doença puxa implacavelmente as fibras que um dia foram entrelaçadas para criá-los. Nada é capaz de interromper o esgarçamento: a doença é incurável. Este livro tem a missão, porém, de asseverar que a aplicação do *amor intencional* é poderosa e bela, digna de ser realizada até mesmo em uma tapeçaria que inevitavelmente se desfará por completo.

AMOR: ESTÁ TUDO NA SUA CABEÇA

O que significa amar de fato alguém? E o que aconteceria, como no caso da DA, se a pessoa que você ama por fim se tornasse incapaz de lhe retribuir o amor? Exploraremos essas perguntas ao longo do livro. Nossa perspectiva fundamental, porém, é muito bem captada em um excerto de *As 5 linguagens do amor*. No capítulo 3, Gary escreveu:

> Nossa necessidade emocional mais básica não é a de nos apaixonarmos, mas de sermos genuinamente amados por outra pessoa, um amor que brota da razão e da opção, não do instinto. Preciso ser amado por alguém que opta por me amar, que vê em mim algo digno de ser amado. Esse tipo de amor requer esforço e disciplina. É a escolha de gastar energia num esforço para beneficiar a outra pessoa, ciente de que, se a vida dela for enriquecida por seu esforço, você também encontrará um senso de satisfação — a satisfação de ter amado genuinamente outra pessoa. [...] Amar é uma atitude que diz: "Estou casado com você e escolho buscar seus interesses". Então, aquele que opta por amar encontrará maneiras adequadas de expressar essa decisão.

Amor motivado não por paixão ou obsessão, mas por opção, diz Gary, é "amor verdadeiro".[1]

A palavra "amor" em português não descreve adequadamente a profundidade e a beleza do tipo de amor motivado pela escolha sobre o qual Gary está falando. O idioma hebraico, porém, possui uma palavra que captura verdadeiramente o pleno significado dessa forma mais verdadeira de amor. A palavra é *hesed*. Seu significado é uma combinação de amor e lealdade. Pelo fato de não haver uma palavra equivalente em português, ela foi traduzida de várias formas, incluindo bondade, amor fiel, lealdade e fidelidade.[2] A escritora Lois Tverberg revelou as riquezas dessa palavra quando escreveu:

35

Hesed age a partir da lealdade inabalável... *hesed* é amor com que se pode contar... Não tem a ver com a excitação do romance, mas com a segurança da fidelidade... Tal como outras palavras hebraicas, *hesed* é não apenas um sentimento, mas uma ação. Intervém em favor dos amados e vem em seu resgate.[3]

Nosso desejo sincero é encorajar os leitores a escolherem e cultivarem o amor intencional descrito por *hesed*. É esse compromisso de amar por opção que nos capacita, como Gary escreveu, a encontrar "maneiras adequadas de expressar essa decisão" no contexto relacional tão desafiador da DA.

AS CINCO LINGUAGENS DO AMOR

O conceito de amor intencional tem sido colocado em prática por muitas pessoas à medida que elas entendem as cinco linguagens do amor. Se você já leu algum dos livros de *As 5 linguagens do amor*, talvez já tenha usado sua mensagem simples, porém profunda, para transformar algum dos seus relacionamentos. Se já o fez, talvez agora esteja intrigado com a ideia de que as linguagens do amor possam ser usadas no contexto da doença de Alzheimer a fim de manter o amor vivo à medida que as lembranças da pessoa vão se apagando. Se ainda não está familiarizado com as cinco linguagens do amor, incentivamos você a ler um dos livros.

Esteja você familiarizado ou não com as linguagens do amor, antes de partirmos para a aplicação delas no contexto da doença de Alzheimer, faremos uma breve recapitulação, de modo a fornecer uma base comum para trabalharmos.

Imagine como seria difícil se comunicar com alguém da China se você não soubesse uma palavra de chinês e a pessoa não soubesse nada de português. Você poderia fazer desenhos ou apontar para palavras em um dicionário, fazer gestos para transmitir sua mensagem ou usar aplicativos de celulares, mas, para se comunicar de fato e de maneira eficiente, pelo menos um de vocês teria de aprender a falar o idioma do outro. Em *As 5 linguagens do amor*, Gary usou a metáfora de linguagens literais para ajudar os leitores a entenderem que as pessoas percebem o amor emocional de formas tão distintas a ponto de constituir cinco diferentes "linguagens" ou canais de comunicação.[4] Cada um de nós tem pelo menos uma linguagem que nos comunica mais amor emocional que os outros.

Gary define as cinco linguagens do amor da seguinte maneira:

Palavras de afirmação: elogios não solicitados, verbais ou escritos, ou palavras de apreço. Exemplos: "Eu amo você". "Você fez um trabalho excelente!" "Você fica ótima nesse vestido." "Aprecio sua atenção aos detalhes." Entre os "dialetos", temos as palavras de encorajamento, palavras altruístas e palavras gentis. Dizer coisas agradáveis sobre alguém para as pessoas também é válido, pois a mensagem costuma viajar de volta para a pessoa à medida que as demais repetem o elogio. Uma "pessoa de *palavras de afirmação*" pode ficar emocionalmente arrasada ao ouvir insultos e palavras duras.

Tempo de qualidade: dar a alguém sua plena e total atenção. Os dialetos são conversa de qualidade (compartilhar pensamentos, sentimentos, desejos e experiências, com ênfase em ouvir realmente o outro) e atividades de qualidade (compartilhar experiências que criarão lembranças). Uma "pessoa de *tempo de qualidade*" pode ser ferida quando é ouvida com indiferença ou desatenção, ou quando o tempo juntos é seguidamente postergado.

Presentes (ou "receber presentes"): qualquer presente tangível comprado, feito à mão ou encontrado cujo propósito é fazer a pessoa saber que você se importa com ela. Um presente é um símbolo visível de amor. O preço é irrelevante — os presentes significativos podem variar de coisas caras a outras que não possuem nenhum valor monetário. É a consideração e o esforço por trás de um presente que envia a mensagem "eu amo você". Estar fisicamente presente, o presente do seu tempo, é um presente intangível muito precioso para algumas pessoas, especialmente em momentos de crise, doença ou comemoração. Uma "pessoa de *presentes*" pode ser ferida por um aniversário ou data comemorativa esquecido ou sentir-se vazia em um relacionamento desprovido de sinais tangíveis de amor.

Atos de serviço: fazer coisas úteis para alguém, como arrumar a mesa, levar o cachorro para passear, lavar a louça, passar o aspirador de pó na casa ou fazer compras. O propósito de *atos de serviço* é aliviar a carga da outra pessoa. Atos de serviço exigem reflexão, planejamento, tempo e esforço. A ideia não é simplesmente ficar ocupado, ou fazer as tarefas das quais *você* mais gosta, mas fazer as coisas que são mais significativas e úteis para a *outra* pessoa. Uma "pessoa de *atos de serviço*" pode ser ferida por preguiça, por alguém deixar bagunça para ela limpar ou por promessas de ajuda não cumpridas.

Toque físico: toque deliberado que exige plena atenção ao ser realizado, como esfregar as costas, massagear os pés, dar um abraço, bater a palma das mãos em um "toca aqui" ou dar um beijo; toque eventual que exige pouco ou nenhum esforço ou nenhum investimento adicional de tempo, como sentar-se perto da pessoa no sofá ou tocar-lhe o ombro ao passar por ela. Para uma "pessoa *toque físico*", o toque envia a mensagem "eu amo você" da maneira mais clara. Para essas pessoas, um tapa ou qualquer tipo de abuso ou negligência pode causar extrema dor emocional.

Essas "linguagens" todas soam como maneiras maravilhosas de dizer "eu amo você", certo? Mas existe um problema.

Maridos e esposas, pais e filhos e até mesmo dois amigos próximos raramente falam a mesma linguagem do amor. Todos nós naturalmente nos aproximamos das pessoas usando nossa própria linguagem — aquela que *nos* faz sentir amados — em vez de falar a linguagem delas — aquela que faz *a pessoa* se sentir

> ### AS 5 LINGUAGENS DO AMOR
>
> - Palavras de afirmação
> - Tempo de qualidade
> - Presentes
> - Atos de serviço
> - Toque físico

amada. Dessa forma, mesmo quando as duas pessoas se esforçam profundamente para expressar amor uma à outra, se cada uma falar a própria linguagem em vez de falar a linguagem da outra, nenhuma delas se sentirá amada.

Felizmente, existe uma solução, que é a mensagem principal dos livros sobre as cinco linguagens. Quando uma pessoa entender as cinco linguagens do amor e descobrir qual é a mais significativa para as pessoas de sua vida, ela deve se esforçar em falar com cada uma na linguagem do amor *daquela pessoa*. Quando duas pessoas abraçam mutuamente essa ideia e comunicam amor uma à outra da maneira mais significativa para cada uma, as duas se sentem emocionalmente amadas. O amor intencional, falado consistentemente, com fluência e na linguagem correta, aprofunda o relacionamento e o prepara para sobreviver às inevitáveis crises da vida.

AS LINGUAGENS DO AMOR E A DOENÇA DE ALZHEIMER

Em todos os lugares onde as cinco linguagens do amor foram adotadas, tanto nos Estados Unidos quanto no restante do mundo, elas revitalizaram relacionamentos e resgataram casamentos à beira do divórcio. Será que elas também podem ajudar indivíduos, casais e famílias a lidarem com o diagnóstico devastador da doença de Alzheimer? Nossa resposta é um inequívoco *sim*, e essa é, na verdade, a premissa de nosso livro. Acreditamos que as linguagens do amor são ferramentas para erguer gentilmente um canto obscuro da pesada cortina da demência, permitindo sustentar uma conexão emocional com a pessoa cuja memória está debilitada. Trata-se de uma ideia nova, uma vez que as linguagens do amor foram utilizadas com sucesso quase que exclusivamente em relacionamentos entre pessoas com mesma capacidade de dar e receber amor. Nos relacionamentos envolvendo a DA, como a doença lentamente rouba a cognição, o nível de igualdade é primeiramente prejudicado até, por fim, ser completamente perdido. Grande parte do trauma relacional advindo da DA ocorre porque a pessoa com a doença perde a capacidade de gerenciar seu lado do relacionamento, levando a conexão emocional forçosamente a águas agitadas e desconhecidas. Contudo, apesar de a doença de Alzheimer apagar lembranças por literalmente matar neurônios, nem mesmo a DA consegue apagar a existência daquilo que Gary chama de "tanque de amor" — metaforicamente, um tanque emocional à espera de ser completado com amor. O fato é que a profunda necessidade humana de amor não desaparece com o diagnóstico de demência. Ela permanece impregnada em nós durante toda a vida.

> A profunda necessidade humana de amor não desaparece com o diagnóstico de demência.

O impacto das linguagens do amor se deve, em parte, à amígdala, uma estrutura cerebral não imediatamente afetada pela doença. A amígdala é o centro emocional do cérebro e desempenha um papel fundamental na memória emocional. Ela prioriza nossas experiências mais emocionais, alocando-as na memória de longo prazo, onde são retidas. Ela também nos ajuda a discernir o que é "bom" do que é "ruim". De acordo com a Sociedade Americana de Alzheimer, a amígdala permite que a pessoa com Alzheimer ainda " se lembre de aspectos emocionais mesmo que não consiga se lembrar do conteúdo factual". Em outras palavras, o sentimento de ser amado pode persistir mesmo depois que as ações ou as palavras que entregaram a mensagem de amor tenham sido esquecidas.[5]

Mesmo na fase final da DA, quando a amígdala pode ser afetada pela doença, acreditamos que as linguagens do amor ainda "comuniquem". O simples fato de uma pessoa já não conseguir falar ou ter iniciativa não significa que ela não possa perceber o amor ou saber quando está sendo tratada com bondade. Apesar da dificuldade em concatenar pensamentos, as pessoas com demência ainda são capazes de sentir profundamente. Troy, parceiro de cuidado de Danielle, sua esposa, agora na fase final da DA, tem plena consciência disso. Ele nos disse:

— Ela não consegue fazer nada. Praticamente não fala mais. Precisa de ajuda para comer, beber e tomar banho, sofre de incontinência, todas aquelas características que você vê na tabela de sintomas.

Contudo, Troy aproveita todas as oportunidades para expressar seu amor por Danielle, usando as cinco linguagens do amor. Ele faz isso não apenas porque a ama verdadeiramente, mas também porque está convencido de que "seja o que for que se passa no cérebro humano, existe um núcleo — alguma coisa — que permite sentir o amor. Está lá em seu ser. Eles sentem isso; simplesmente não sabem como expressar".

Embora Danielle raramente fale, ela às vezes responde com pequenos gestos.

— Doces momentos, quando ela ainda consegue me reconhecer e me mostrar aquele grande e velho sorriso, e aquela risadinha que ela tenta dar agora.

— Um dia desses — continuou Troy —, estávamos deitados na cama assistindo à televisão, e tudo estava bem quieto. De repente, do nada, ela simplesmente se virou, beijou-me na cabeça, e eu disse: "Ah, querida, obrigado!", e quando olhei para ela percebi uma pequena lágrima em seus olhos.

Pequenas reações como essa são evidências preciosas para Troy de que Danielle de fato sente as expressões intencionais de amor dele.

Nossas interações com parceiros de cuidados e com pessoas com DA têm igualmente nos convencido de que a capacidade de receber amor emocional permanece por muito mais tempo do que a capacidade de expressá-lo, provavelmente, para a maioria, até o final da jornada do Alzheimer. Isso permite que se sustente uma conexão emocional mesmo com alguém nos estágios avançados da DA. Queremos deixar claro logo de início, porém, que esse tipo de conexão emocional é diferente de qualquer outra que une pessoas em relacionamentos amorosos. A conexão ocorre no paradigma relacional de desigualdade descrito acima. Nessa condição, a profundidade e a amplitude da conexão residem quase que inteiramente nas mãos do parceiro de cuidado.

> A capacidade de receber amor emocional permanece por muito mais tempo do que a capacidade de expressá-lo.

No momento em que escrevemos estas palavras, tal como Danielle, Rebecca Shaw está se aproximando do fim de sua

AMOR: ESTÁ TUDO NA SUA CABEÇA

jornada com a doença de Alzheimer. Apesar disso, tal como Troy, Ed disse que ele e Rebecca ainda conseguiam manter intimidade emocional. Ele explicou:

— Embora forças estejam esgarçando a tapeçaria, você não precisa perder aquela pessoa. É possível manter um relacionamento verdadeiramente significativo com sua esposa ou marido, mãe ou pai, mas ele será *diferente*. Você encontrará significado de formas *diferentes*.

Ele ressalta que manter esse tipo de intimidade relacional "é tanto intencional quanto sacrificial". O que ele quer dizer é que isso não acontecerá automaticamente; exige que o parceiro de cuidado tome repetidamente a decisão de "amar por opção", indo além do que é exigido em relacionamentos não afetados pela DA.

ESTIGMA E DESCONEXÃO

Na cultura norte-americana do século 21 ainda existe um estigma social amplamente disseminado com relação às doenças que afetam a mente. Muitas pessoas reagem com medo a doenças mentais, como o distúrbio bipolar ou a esquizofrenia, distanciando-se da pessoa afetada. Embora existam hoje códigos de diagnóstico para a doença de Alzheimer e outros tipos de demência (códigos de "distúrbios neurocognitivos"), em nossa avaliação a demência difere de doenças mentais como a depressão e a ansiedade, que podem ser tratadas e em geral efetivamente curadas com medicação e/ou aconselhamento. Em contrapartida, a DA é uma doença médica para a qual, infelizmente, não há cura no presente. Contudo, pelo fato de a DA tão frequentemente se "parecer" com uma doença mental, algumas culturas étnicas tradicionais acreditam que se trata de punição pelo pecado e/ou um constrangimento social que traz grande vergonha à família.

Em seu trabalho anterior em radiologia oncológica no tratamento de pacientes com câncer no cérebro, Ed observou que crianças pequenas de todas as culturas geralmente tendem a ter medo ou permanecer distantes de pais ou avós com câncer. As crianças parecem acreditar que, se tocarem na mãe ou no pai, no avô ou na avó, "pegarão" o câncer deles. De maneira similar, mas em nível emocional, quando um cônjuge é diagnosticado com DA, é comum que o outro, deliberada ou inconscientemente, comece a se afastar emocionalmente de seu parceiro que "não está bem". O cônjuge não afetado talvez apenas precise de algum tempo ou espaço emocional para "conseguir compreender" a "palavra com A" (Alzheimer) ou a "palavra com D" (demência) e o que esse diagnóstico chocante de fato significa. Às vezes já estão lamentando a perda que antecipam e temem. Talvez também estejam reagindo intensamente ao estigma que eles próprios associam à demência. A tudo isso, adicione a influência estigmatizante do *etarismo* — a prática cultural norte-americana, obcecada pela juventude, que marginaliza as pessoas mais velhas.

Seja por uma dessas razões, ou por todas elas e talvez até outras, a *maioria* dos cônjuges fica cada vez mais desconfortável em interagir com o parceiro recém-diagnosticado. Além disso, existe um fator desconcertante altamente significativo: a pessoa com demência (PCD) já pode ter começado a se distanciar do cônjuge antes do diagnóstico, embora por razões completamente diferentes.

À medida que a doença começa a afetar os lobos frontais do cérebro, que controlam personalidade, emoções e interação social, as pessoas com demência tornam-se gradualmente apáticas, perdem iniciativa, motivação e o desejo de se conectar emocionalmente com outros. Essa apatia é de natureza global, e não direcionada unicamente ao parceiro conjugal. A apatia é consequência da doença, não um indicativo de falta de amor pelo cônjuge. Então, assim como o cônjuge saudável está se desconectando emocionalmente para lidar com a situação e com o sentimento de pesar, o cônjuge afetado está se desconectando devido à doença em si. Dessa forma, a conexão emocional vai gradualmente se desfazendo em ambas as pontas do relacionamento. O resultado, com o passar do tempo, é a distância relacional.

É onde se encontravam Malik e Aisha. O diagnóstico de Aisha, lembra-se Ed, "simplesmente os repeliu como dois ímãs de mesma polaridade". Eles estavam emocionalmente desconectados, não se comunicavam, nem tinham intimidade sexual havia anos. Tanto para Malik quanto para Aisha, a mútua falta de conexão emocional se tornara extremamente dolorosa. Foi essa dor emocional que finalmente os compeliu a buscar aconselhamento. Para usar a metáfora do início do capítulo, a tapeçaria do casamento de Malik e Aisha havia começado a esgarçar seriamente.

> Cem por cento dos casais que já vi em aconselhamento para demência estavam emocionalmente desconectados um do outro em algum nível.

Ed diz que o estranhamento emocional que esse casal estava experimentando "é o problema mais comum que já encontrei com casais que enfrentam a doença de Alzheimer". De fato, disse ele, é na verdade *típico*:

— Cem por cento dos casais que já vi em aconselhamento para demência estavam emocionalmente desconectados um do outro em algum nível.

Além disso, os efeitos desconexos da demência não se limitam a maridos e esposas. Filhos adultos, membros da família ampla e amigos também costumam se afastar do indivíduo com demência, assim como o cônjuge ou o parceiro de cuidado. Ed disse:

— É comum ouvir coisas como "descobri quem eram meus amigos quando recebi esse diagnóstico". Isso vale para qualquer problema médico ou de saúde mental. Alguns amigos se revelam seus apoiadores, pessoas que você nem esperava, e então você vê outros, que achava serem seus amigos mais próximos, simplesmente desapareceram de um dia para o outro. Muitas vezes o que faz uma pessoa se afastar da amizade é algo que os conselheiros chamam de *transferência*. Muito embora a doença esteja acontecendo com outra pessoa, elas pensam "e se isso acontecesse comigo?", e a dor desse pensamento as afasta da pessoa com a doença. Adultos mais velhos são especialmente temerosos em relação à DA. Um estudo de 2015, publicado no *Journal of Alzheimer's Disease and Other Dementias*, descobriu que "o medo da DA em pessoas mais velhas é maior que o medo de ter câncer".[6]

Ed continuou:

— Quando um dos pais é diagnosticado, se os filhos adultos pesquisarem no Google sobre "fatores de risco da doença de Alzheimer", a pesquisa os levará à página da Associação de Alzheimer, que fala dos fatores de risco, e lá eles lerão: "Aqueles que têm um dos pais, um irmão, uma irmã ou um filho com a doença de Alzheimer apresentam mais probabilidade de desenvolver a doença". Podem entrar em pânico diante das palavras "mais probabilidade" e deixar de ler o resto. Assim, uma das coisas que complica o relacionamento pai-filho é a preocupação dos filhos com a possibilidade de ter aquilo. Eles pensam: "Eu serei assim daqui a 30 anos?". Isso tem o efeito natural de gerar afastamento do pai ou da mãe porque, quanto menos tempo passarem com o pai ou com a mãe, menos pensarão na doença. Quanto mais ocupados estiverem com a vida, menos terão de confrontar a possiblidade de que podem ter DA. Às vezes, isso é intencional, mas às vezes é totalmente não intencional. Se eles se sentirem tão desconfortáveis com a ideia da demência neles próprios ou em seus pais a ponto de nem mesmo saberem o que dizer, eles se afastarão. Então, você pode entender que, se *tempo de qualidade* era algo realmente importante para o pai ou para a mãe com a doença, o afastamento de um filho seria muito doloroso para o doente.

Katia, cujo pai tem DA, não se afastou dos pais, mas admite que se preocupa com a possibilidade de ter DA. Ela disse:

— Não quero ser esse tipo de fardo para meu marido, para meus filhos. Entendo quão difícil é emocional, física e financeiramente ter alguém nessa condição, além das lembranças perdidas. Você não tem nenhum controle sobre isso. Odeio simplesmente pensar nisso. Ou seja: sim, é algo que me chateia. Não posso fazer nada em relação a isso, mas a ideia continua na minha cabeça.

Nossa amiga e colega de trabalho, a dra. Julie Williams, uma geriatra com uma experiência considerável em cuidado de pacientes com demência, costuma observar a distância emocional entre pacientes da DA e seus cônjuges. Ela notou que o diagnóstico de DA ou outra demência injeta "medo, dor, estranhamento e uma lacuna emocional" nos relacionamentos:

— Às vezes é quase frio e seco. O paciente está simplesmente sentado ali, resignado e emocionalmente isolado e, veja que interessante, pode haver uma cadeira vazia entre o paciente e o cônjuge. Não existe muito contato visual ou comunicação verbal ou não verbal entre eles. Não vejo mãos dadas ou olhares de apoio mútuo. É como se o diagnóstico da doença de Alzheimer estivesse sendo assumido particularmente.

A dra. Williams observou que, à medida que a doença progride, às vezes o cônjuge saudável deixa de acompanhar o outro nas consultas. E diz o motivo:

— Mentalmente, eles estão desconectados do relacionamento. Ainda dividem o lar, mas podem viver em quartos separados e fazer coisas separadamente. Talvez um filho adulto esteja trazendo o pai ou a mãe para sua casa — em geral é uma filha que se envolve e faz seu melhor para deixar tudo bem. Nesse caso, na maioria das vezes, a consulta acontece com o filho cuidador.

Filhos adultos costumam relatar que os pais não estavam bem conectados emocionalmente antes do diagnóstico, como diz a dra. Williams, e a doença foi apenas a gota d'água.

Pelo fato de ser tão comum que a DA desfaça a conexão emocional entre os membros da família, os poucos relacionamentos fortes e amorosos que a dra. Williams tem presenciado realmente lhe chamam atenção. Ela mencionou dois casais que estão seguindo pela jornada do Alzheimer que realmente lhe tocaram o coração.

Jane e Rick: "Sempre estarei com você"

Jane e Rick nunca imaginaram que poderiam estar lidando com a demência no final dos seus 40 anos e começo dos 50. Hoje, com 51 anos, Jane é completamente dependente de Rick. Ela tem dificuldade em se comunicar e precisa da ajuda de Rick com coisas como tomar banho, vestir-se, comer e usar o banheiro. Qual é a atitude de Rick? A dra. Williams diz:

— Embora seu coração esteja despedaçado, ele é o mais amoroso e devotado *fã* dela. Ele se refere repetidamente a sua esposa como "minha Jane". Ele lhe diz coisas como "Jane, vamos passar por isso. Estamos casados há trinta anos e vamos continuar casados até que os dois partam. Vamos ficar bem".

E a dra. Williams acrescenta:

— A maneira como ela lhe responde é simplesmente adorável. Ela olha para ele com olhos adoráveis. Sorrindo. Ela não fala muito, uma vez que está perdendo a habilidade verbal, mas acena com a cabeça de maneira adequada, normalmente concordando com algo positivo que ele disse.

Numa visita recente, já no final da consulta, quando o casal se preparava para sair, Rick disse à dra. Williams:

— Vou fazer um passeio de três horas com minha querida ao lado enquanto voltamos para casa.

Tal expressão de amor, disse a doutora, foi "linda, e rara".

Ben e Sally: "Só o estou fortalecendo"

A dra. Williams contou a história de Sally:

— Essa mulher é fabulosa.

Sally, a esposa, lhe disse:

— Eu e Ben nos amamos muito e sempre soubemos que estávamos nessa para a vida toda. Fomos atingidos por essa doença terrível e estou tentando entendê-la. Vou amá-lo sempre, e sempre cuidarei dele.

A dra. Williams disse:

— Quando você os vê juntos, eles ainda são marido e mulher. Ela não se coloca no papel de cuidadora dele. Penso que é uma maneira de preservar tanto a dignidade quanto a identidade dele. Você percebe que ela o faz intencionalmente. Ele é o marido dela. Ele é o pai de seus filhos. Ela o convida a participar na tomada de decisões. Embora o estágio de sua doença impacte suas habilidades, Sally permite que ele participe do processo. Em público, ela o trata como alguém igual.

E continuou:

— Ela coloca Ben em situações em que ele é valorizado. Levar o cachorro para passear, por exemplo. Ela diz: "Obrigada por levar o Paddington para passear. Creio que ele não sairia para passear com outra pessoa que não fosse você, querido". Ela o está fortalecendo! E faz um excelente trabalho. Poderia dizer que ela estava fazendo isso por ele. É um ato de bondade.

A dra. Williams contou uma conversa que teve com o casal. Ela perguntou a Ben se ele tivera oportunidade de sair e cortar a grama do jardim naquele verão. Ben respondeu:

—Sim, sim.

E Sally disse:

— Oh, querido, diga a ela o que você fez. Você saiu e aparou a grama todas as semanas, arrumou o jardim e ele ficou muito bonito. Dra. Williams, a senhora precisa ver que belo trabalho ele fez. E nem sequer preciso pedir a você na maioria das vezes. Você sai e quer ver aquele cortador de grama funcionando! Às vezes você fica tão entusiasmado que quer que ele funcione mesmo sem gasolina no tanque, mas, Deus do céu, um de nós vai dar um jeito de colocar gasolina naquela máquina.

A dra. Williams rapidamente acrescenta que Ben na verdade não está em condições de cortar adequadamente a grama. Ele segue pelo jardim em padrões erráticos e tende a se concentrar em andar em volta de árvores, às vezes até que o cortador de grama fique sem combustível. Contudo, ela destaca que os comentários de Sally são sempre "de afirmação, nunca críticos". E "normalmente ela está conversando *com* ele, o que eu adoro. Ela não está falando na terceira pessoa".

Como Ben responde a Sally?

— Ele sorri — diz a dra. Williams. — Ele é bastante tímido. Não fala muito, por causa da doença. Ele simplesmente olha para o rosto dela. Dá para perceber que ele se concentra bastante naquilo que ela diz.

Por que Jane e Rick e Sally e Ben continuam tão emocionalmente bem conectados enquanto a maioria dos casais se desconecta por causa da demência? As descrições contrastantes que a dra. Williams faz de seus pacientes dá as pistas. Em um típico casal desconectado, a pessoa com demência parece "emocionalmente isolada e bastante resignada", com pouco contato visual, pouco toque e pouca comunicação verbal ou não verbal. Compare isso com a descrição que ela faz de Jane ("olhos adoráveis", "sorrindo") e de Ben ("sorri", "olha para o rosto de sua esposa").

O que faz a diferença?

Na opinião da dra. Williams e na nossa, a diferença está na atitude do familiar que é parceiro de cuidado, a principal pessoa a quem os pacientes estão respondendo. A abordagem amorosa de Rick com Jane e de Sally com Ben provê afirmação aos doentes, preserva sua dignidade e mantém o casal emocionalmente conectado um ao outro. A abordagem mais comum e distante que diz "você é um fardo" tem o efeito oposto tanto sobre o paciente quanto sobre o relacionamento.

O AMOR PODE MUDAR O FUTURO

Quando a doença de Alzheimer leva a uma divisão emocional entre familiares ou amigos, a boa notícia é que qualquer pessoa pode restabelecer ou melhorar a conexão emocional com uma pessoa com DA. Troy, o amoroso parceiro de cuidado de Danielle, mencionado anteriormente, é a prova viva disso.

Anos antes de Danielle ser diagnosticada com DA, sua personalidade começou a mudar. Antes amável, Danielle começou a ficar cada vez mais argumentativa, reclusa e paranoica, comportamentos que exasperavam e alienavam Troy. Por fim, ele saiu de casa. Mais tarde, quando o diagnóstico de DA explicou o distanciamento gerado entre eles, Troy voltou para Danielle. Sua decisão de voltar, junto com a opção de começar a amá-la de maneira bastante intencional, mudou o curso e o tom de seu relacionamento. Hoje, Troy diz:

— Amo a conexão emocional e o contato que Danielle e eu temos. Eu simplesmente aceito aqueles momentos em que posso amá-la. Vou amá-la enquanto a tiver comigo.

AMOR: É BOM PARA VOCÊ

O tipo de relacionamento positivo e amoroso que Troy, Rick e Sally desenvolveram com seus cônjuges beneficia tanto o parceiro de cuidado quanto a pessoa com a DA. Conectar-se relacionalmente e gerar felicidade para a outra pessoa é uma atitude que literalmente reduz o estresse, a inflamação cerebral e corporal para *ambas* as pessoas. Na ausência de uma conexão positiva, a doença pode progredir mais rapidamente e as pessoas não vivem tanto.

Em um artigo que relata a pesquisa publicada no *Journal of the International Neuropsychological Society*, a repórter Maia Szalavitz, da revista *Time*,[7] diz:

> Estudos anteriores descobriram que o isolamento social severo é no mínimo tão mortal quanto fumar — dobrando o risco de morte precoce — e que aqueles com maior número de relacionamentos, e de melhor qualidade, apresentam menor risco para uma infinidade de doenças, incluindo doenças cardíacas e derrames. Na verdade, ter amizades ou conexões familiares fortes reduz o risco de morte precoce com mais eficiência do que exercitar-se ou evitar

AMOR: ESTÁ TUDO NA SUA CABEÇA

a obesidade — e, como bônus para a maioria de nós, é mais agradável e exige menos força de vontade.

Então por que a interação com amigos e familiares é tão curadora? Nossa resposta ao estresse está intimamente ligada a nossas conexões sociais — é por isso que segurar a mão da mamãe, mesmo já adulto, pode abaixar a pressão sanguínea para a maioria das pessoas e é a razão de crianças criadas com mínimo contato humano apresentarem muito mais risco de morrer na infância do que aquelas que estão em famílias amorosas. A falta de contato social é estressante para todos os animais sociais, e estresse crônico elevado aumenta o risco de doenças cardiovasculares, alguns tipos de câncer, obesidade, todas as doenças mentais e vícios.

Scu artigo se concentrou em um estudo que acompanhou, por 12 anos, 1.138 pessoas sem sinais iniciais de demência. O estudo descobriu que "os idosos mais sociáveis tiveram uma redução de 70% na taxa de declínio cognitivo comparativamente com seus colegas menos sociáveis".

Outras pesquisas destacaram a relação entre estado cognitivo, qualidade de vida e conexão emocional com outros. Vejamos dois exemplos.

Em palestra proferida na Conferência Internacional da Associação de Alzheimer, em 2015, a dra. Nancy J. Donovan disse que o Estudo Norte-americano de Saúde e Aposentadoria "descobriu que pessoas solitárias declinam cognitivamente em uma taxa mais elevada do que a apresentada por pessoas que dizem possuir redes e conexões sociais mais satisfatórias". Ao longo dos 12 anos de acompanhamento do estudo, os indivíduos mais solitários experimentaram declínio cognitivo cerca de 20% mais rápido do que o apresentado por participantes que não relataram solidão.[8]

Um estudo de 2014 concluiu que "sentir-se solitário, ao contrário de estar sozinho, está associado a um maior risco de demência clínica no fim da vida e pode ser considerado um fator de risco importante...".[9]

De uma perspectiva exclusivamente neurocientífica, a importância da intimidade relacional entre pacientes com demência e parceiros de cuidado pode se resumir a quatro "substâncias da felicidade" que o cérebro produz naturalmente em resposta à conexão social.[10] Endorfinas são liberadas quando rimos. Os níveis de serotonina aumentam quando uma pessoa se sente significativa ou importante, de modo que não é surpresa que um dos marcadores da depressão seja a ausência de serotonina. A oxitocina é produzida quando somos abraçados ou quando recebemos um presente (duas das linguagens do amor — *toque físico* e *presentes* — isso é digno de nota!). A dopamina recompensa e reforça todos esses comportamentos prazerosos, incentivando-nos a repeti-los.

AMAR POR OPÇÃO

Em sua prática de aconselhamento com famílias na jornada da demência, Ed descobriu que as cinco linguagens do amor são ferramentas eficientes para recuperar a intimidade emocional de relacionamentos em processo de esgarçamento. Para casais como Malik e Aisha, Ed começa a fazer a ponte entre membros da família afastados dando-lhe tarefas práticas envolvendo as cinco linguagens. Quando um parceiro estiver faminto por toque, por exemplo, o primeiro pequeno passo rumo à reconexão pode ser uma tarefa tão simples quanto "assistir a um filme juntos e dar as mãos".

Contudo, você pode se perguntar, quando a demência já desfez os laços emocionais, não é hipocrisia começar a expressar amor a uma pessoa por quem se sente pouco ou nenhum amor?

AMOR: ESTÁ TUDO NA SUA CABEÇA

Quando uma mulher fez essa mesma pergunta a Gary, sua resposta, encontrada no capítulo 12 de *As 5 linguagens do amor*, intitulado "Amar quem é difícil de ser amado", foi a seguinte:

> Talvez seja bom fazermos uma distinção entre amor como sentimento e amor como ação. Se você afirmar que tem sentimentos que na verdade não tem, é hipocrisia, e essa declaração falsa não é a forma correta de construir relacionamentos íntimos. Mas, se você expressar um ato de amor planejado para o benefício ou o prazer da outra pessoa, é simplesmente uma escolha. Você não está afirmando que a ação tem como origem um profundo elo emocional, mas simplesmente optando por fazer algo em benefício da pessoa.[11]

Isso é *hesed*, a expressão sacrificial de amor motivada pela escolha.

Seja qual for o ponto em que você e sua família estão na jornada do Alzheimer e independentemente de quão esgarçada esteja sua tapeçaria relacional, encorajamos você a aprender mais sobre as cinco linguagens do amor. As linguagens do amor são ferramentas simples que podem ser usadas para facilitar as conexões emocionais em relacionamentos complicados pela demência. A Sociedade Americana de Geriatria, a Sociedade Americana de Psiquiatria e a Associação Americana de Psiquiatria Geriátrica recomendam intervenções não farmacológicas como primeira linha de tratamento para os sintomas comportamentais e psiquiátricos de demência.[12,13] (Tratamentos não farmacológicos são aqueles que não envolvem remédios.) Também vemos as cinco linguagens como simples intervenções não farmacológicas que podem ser usadas por qualquer um que se importe com uma pessoa com demência. Essas "ferramentas de amor" podem ajudar a amenizar necessidades emocionais não expressas e não atendidas capazes de instigar problemas comportamentais em pacientes com demência.

Você se beneficiará mais dos próximos capítulos se souber qual é sua própria linguagem do amor primária e a provável linguagem do amor primária da pessoa de quem você cuida. Nas páginas finais deste capítulo você encontrará um teste para determinar as linguagens. Sugerimos que você responda esse teste antes de seguir para o próximo capítulo. Preste atenção às instruções na última página para determinar a linguagem do amor de uma pessoa no estágio intermediário para avançado da DA.

QUAL É A SUA LINGUAGEM DO AMOR?

Perguntas de diagnóstico para parceiros de cuidado, pessoas com CCL e em estado intermediário para avançado da doença de Alzheimer.

Parceiros de cuidado

Se você é um parceiro de cuidado, poderá descobrir sua linguagem do amor primária completando um dos testes apresentados nesta seção. São fornecidas duas versões: uma para pessoas casadas e outra para solteiras. São os mesmos testes apresentados nos livros sobre *As 5 linguagens do amor*.

Se você é casado com a pessoa nos estágios iniciais da doença de Alzheimer, a versão do teste "para casais" é indicada para você. Se você é casado com uma pessoa no estágio intermediário ou avançado da DA, talvez queira fazer a versão do teste "para solteiros". Oferecemos essa opção porque, na fase avançada da DA, pessoas casadas costumam se sentir cada vez mais "solteiras" à medida que o cônjuge se torna menos capaz de realizar gestos de amor e reagir a eles. Se você é o filho adulto de um pai ou mãe com DA, faça a versão para casais ou solteiros conforme a sua situação.

Aqueles que estão nos estágios iniciais da DA normalmente conseguem se autoavaliar preenchendo a versão do perfil que corresponde ao seu estado civil.

Estágios inicial e intermediário da doença de Alzheimer

As pessoas que acabaram de entrar no estágio intermediário da DA podem ter dificuldade para preencher o teste sozinhas. Os parceiros de cuidado podem administrar-lhes a versão apropriada do teste como uma entrevista pessoal. Leia as perguntas em voz alta, discutam as opções de respostas e então registre as respostas da pessoa.

Estágio avançado da doença de Alzheimer

Veja pág. 68.

MANTENHA VIVO O AMOR ENQUANTO AS MEMÓRIAS SE APAGAM

PERFIL PESSOAL DAS LINGUAGENS DO AMOR

VERSÃO PARA CASAIS

A seguir você encontrará 30 pares de declarações. Por favor, circule a letra ao lado da declaração que melhor define o que é mais significativo para você em seu relacionamento. É possível que as duas declarações se encaixem (ou não) em sua situação, mas procure escolher aquela que capture melhor a essência daquilo que é mais significativo para você na maior parte das vezes. Reserve entre 10 e 15 minutos para preencher o perfil. Faça isso quando você estiver relaxado e tente não preencher apressadamente.

É mais significativo para mim quando...

1	Recebo um bilhete/mensagem/e-mail do meu cônjuge sem uma razão especial.	A
	Eu e meu cônjuge nos abraçamos.	E
2	Consigo passar tempo a sós com meu cônjuge – apenas nós dois.	B
	Meu cônjuge faz algo prático para me ajudar.	D
3	Meu cônjuge me dá um pequeno presente como símbolo de nosso amor um pelo outro.	C
	Consigo passar um tempo de lazer contínuo sem interrupção com meu cônjuge.	B
4	Meu cônjuge faz algo para mim de surpresa, como encher o tanque do carro ou lavar a louça.	D
	Eu e meu cônjuge nos tocamos.	E
5	Meu cônjuge coloca seu braço em torno de mim em público.	E
	Meu cônjuge me surpreende com um presente.	C

AMOR: ESTÁ TUDO NA SUA CABEÇA

6	Estou próximo do meu cônjuge, mesmo que não estejamos de fato fazendo alguma coisa.	B
	Seguro as mãos do meu cônjuge.	E
7	Meu cônjuge me dá um presente.	C
	Ouço meu cônjuge me dizer "eu amo você".	A
8	Sento-me perto do meu cônjuge.	E
	Recebo um elogio do meu amor sem nenhuma razão aparente.	A
9	Tenho a chance de simplesmente "ficar junto" do meu cônjuge.	B
	Recebo inesperadamente presentes do meu cônjuge.	C
10	Ouço meu cônjuge me dizer "tenho orgulho de você".	A
	Meu cônjuge me ajuda com uma tarefa.	D
11	Consigo fazer coisas com meu cônjuge.	B
	Ouço palavras de apoio do meu cônjuge.	A
12	Meu cônjuge faz coisas para mim em vez de simplesmente conversarmos sobre fazer coisas agradáveis.	D
	Sinto uma conexão com meu cônjuge através de um abraço.	E
13	Ouço elogios do meu cônjuge.	A
	Meu cônjuge me dá alguma coisa que demonstra que estava de fato pensando em mim.	C
14	Sou capaz de simplesmente estar perto do meu cônjuge.	B
	Recebo um toque nas costas ou uma massagem do meu cônjuge.	E
15	Meu cônjuge reage positivamente a algo que realizei.	A
	Meu cônjuge faz algo por mim que eu sei que ele particularmente não gosta.	D

	Eu e meu cônjuge nos beijamos frequentemente.	E
16	Sinto que meu cônjuge demonstra interesse nas coisas importantes para mim.	B
17	Meu cônjuge trabalha comigo em projetos especiais que preciso concluir.	D
	Meu cônjuge me dá um presente maravilhoso.	C
18	Recebo elogios do meu cônjuge sobre a minha aparência.	A
	Meu cônjuge separa tempo para me ouvir e realmente entender meus sentimentos.	B
19	Meu cônjuge e eu compartilhamos toque não sexual em público.	E
	Meu cônjuge se oferece para fazer tarefas por mim.	D
20	Meu cônjuge faz um pouco mais do que o esperado para as responsabilidades que compartilhamos (da casa, ligadas ao trabalho, etc.).	D
	Recebo um presente que sei que exigiu esforço do meu cônjuge.	C
21	Meu cônjuge não fica olhando seu celular enquanto estamos conversando.	B
	Meu cônjuge interrompe o que está fazendo para fazer algo que alivia a pressão sobre mim.	D
22	Tenho ansiedade por uma data por causa de um presente que espero receber.	C
	Escuto do meu cônjuge as palavras "gosto de você".	A
23	Meu cônjuge me traz um pequeno presente depois de ter viajado sem mim.	C
	Meu cônjuge cuida de algo pelo que sou responsável, mas que não consigo realizar naquele momento por sentir muito estresse.	D

AMOR: ESTÁ TUDO NA SUA CABEÇA

	Meu cônjuge não me interrompe enquanto estou falando.	B
24	Dar presentes é uma parte importante de nosso relacionamento.	C
	Meu cônjuge me ajuda quando percebe que sinto cansaço.	D
25	Gosto de ir a algum lugar só para passar tempo com meu cônjuge.	B
	Eu e meu cônjuge somos fisicamente íntimos.	E
26	Meu cônjuge me dá um pequeno presente que escolheu no decorrer de um dia normal.	C
	Meu cônjuge me diz coisas encorajadoras.	A
27	Gosto de passar tempo em uma atividade ou um *hobby* compartilhado com meu cônjuge.	B
28	Meu cônjuge me surpreende com uma pequena lembrança carinhosa.	C
	Meu cônjuge e eu nos tocamos bastante no decorrer do dia.	E
29	Meu cônjuge me ajuda — especialmente se eu sei que ele já está bem ocupado.	D
	Ouço meu cônjuge dizer especificamente a mim: "valorizo você".	A
30	Eu e meu cônjuge nos abraçamos depois de termos ficado separados por algum tempo.	E
	Ouço meu cônjuge dizer o quanto eu significo para ele.	A

Agora volte e conte quantas vezes você marcou cada letra e anote essa quantidade no espaço correspondente, abaixo.

RESULTADOS

A: _____ PALAVRAS DE AFIRMAÇÃO

B: _____ TEMPO DE QUALIDADE

C: _____ PRESENTES

D: _____ ATOS DE SERVIÇO

E: _____ TOQUE FÍSICO

Qual linguagem do amor recebeu a maior pontuação? Essa é a sua linguagem do amor primária. Se o total de pontos de duas linguagens for igual, você é "bilíngue" e tem duas linguagens do amor primárias. Se você tiver uma linguagem do amor secundária ou uma que tenha apresentado uma pontuação próxima da sua linguagem do amor primária, significa que as duas expressões de amor são importantes para você. A maior pontuação possível para qualquer uma das linguagens do amor é 12.

AMOR: ESTÁ TUDO NA SUA CABEÇA

PERFIL PESSOAL DAS LINGUAGENS DO AMOR

VERSÃO PARA SOLTEIROS

A seguir você encontrará 30 pares de declarações. Por favor, circule a letra ao lado da declaração que melhor define o que é mais significativo para você em seu relacionamento. É possível que as duas declarações se encaixem (ou não) em sua situação, mas procure escolher aquela que capture melhor a essência daquilo que é mais significativo para você na maior parte das vezes. Reserve entre 10 e 15 minutos para preencher o perfil. Faça isso quando você estiver relaxado e tente não preencher apressadamente.

É mais significativo para mim quando...

1	Alguém que amo envia um bilhete/mensagem/*e-mail* sem uma razão especial.	A
	Abraço alguém a quem amo.	E
2	Consigo passar tempo a sós com alguém a quem amo – apenas nós dois.	B
	Alguém a quem amo faz algo prático para me ajudar.	D
3	Alguém a quem amo me dá um pequeno presente como símbolo de nosso amor e cuidado um pelo outro.	C
	Consigo passar um tempo de lazer contínuo sem interrupção com a pessoa a quem amo.	B
4	Alguém a quem amo faz algo para mim de surpresa para me ajudar em um projeto.	D
	Consigo compartilhar um toque inocente com alguém a quem amo.	E
5	Recebo um presente de alguém a quem amo.	C
	Ouço que alguém a quem amo também me ama.	A

MANTENHA VIVO O AMOR ENQUANTO AS MEMÓRIAS SE APAGAM

	Quando estou próximo de alguém a quem amo, mesmo que não estejamos de fato fazendo alguma coisa.	B
6	Sinto-me confortável em segurar as mãos, bater as palmas das mãos ou colocar o braço em torno de alguém a quem amo.	E
7	Alguém a quem amo coloca seu braço em torno de mim em público.	E
	Alguém a quem amo me surpreende com um presente.	C
	Sento-me perto de alguém a quem amo.	E
8	Recebo um elogio de alguém a quem amo sem nenhuma razão aparente.	A
9	Tenho a chance de simplesmente "ficar junto" de alguém a quem amo.	B
	Recebo inesperadamente presentes de alguém a quem amo.	C
10	Ouço alguém a quem amo me dizer "estou orgulhoso de você".	A
	Alguém a quem amo me ajuda com uma tarefa.	D
11	Consigo fazer coisas com alguém a quem amo.	B
	Ouço palavras de apoio de alguém a quem amo.	A
12	Alguém a quem amo faz coisas para mim em vez de simplesmente conversarmos sobre fazer coisas agradáveis.	D
	Sinto uma conexão com alguém a quem amo através de um abraço.	E
13	Ouço elogios de alguém a quem amo.	A
	Alguém a quem amo me dá alguma coisa que demonstra que estava de fato pensando em mim.	C
14	Sou capaz de simplesmente ficar perto de alguém a quem amo.	B
	Recebo um toque nas costas de alguém a quem amo.	E

AMOR: ESTÁ TUDO NA SUA CABEÇA

15	Alguém a quem amo reage positivamente a algo que realizei.	A
	Alguém a quem amo faz algo por mim que eu sei que particularmente não gosta.	D
16	Consigo estar em proximidade física com alguém a quem amo.	E
	Sinto que alguém a quem amo demonstra interesse nas coisas importantes para mim.	B
17	Alguém a quem amo trabalha comigo em projetos especiais que preciso concluir.	D
	Alguém a quem amo me dá um presente maravilhoso.	C
18	Recebo elogios de alguém a quem amo sobre a minha aparência.	A
	Alguém a quem amo separa tempo para me ouvir e realmente entender meus sentimentos.	B
19	Consigo compartilhar um toque especial em público com alguém a quem amo.	E
	Alguém a quem amo se oferece para fazer tarefas por mim.	D
20	Alguém a quem amo faz algo especial para me ajudar.	D
	Recebo um presente que sei que exigiu esforço de alguém a quem amo.	C
21	Alguém a quem amo e que não vejo há algum tempo pensa o suficiente em mim para me trazer um pequeno presente.	C
	Alguém a quem amo cuida de algo pelo que sou responsável, mas que não consigo realizar naquele momento por sentir muito estresse.	D
22	Tenho ansiedade por uma data porque provavelmente receberei um presente de alguém a quem amo.	C
	Escuto de alguém a quem amo as palavras "gosto de você".	A

23	Alguém a quem amo não fica olhando seu celular enquanto estamos conversando.	B
	Alguém a quem amo interrompe o que está fazendo para fazer algo que alivia a pressão sobre mim.	D
24	Alguém a quem amo não me interrompe enquanto estou falando.	B
	Dar presentes é uma parte importante do relacionamento com alguém a quem amo.	C
25	Alguém a quem amo me ajuda quando percebe que sinto cansaço.	D
	Gosto de ir a algum lugar só para passar tempo com alguém a quem amo.	B
26	Alguém a quem amo toca meu braço ou ombro para mostrar seu cuidado ou preocupação.	E
	Alguém a quem amo me dá um pequeno presente que escolheu no decorrer de um dia normal.	C
27	Alguém a quem amo me diz coisas encorajadoras.	A
	Gosto de passar tempo em uma atividade ou *hobby* compartilhado com alguém a quem amo.	B
28	Alguém a quem amo me surpreende com uma pequena lembrança de seu apreço.	C
	Toco alguém a quem amo com frequência para expressar nossa amizade.	E
29	Alguém a quem amo me ajuda — especialmente se eu sei que a pessoa já está bem ocupada.	D
	Ouço alguém a quem amo me dizer que me valoriza.	A
30	Recebo um abraço de alguém que não vejo há algum tempo.	E
	Ouço alguém a quem amo dizer o quanto eu significo para essa pessoa.	A

AMOR: ESTÁ TUDO NA SUA CABEÇA

Agora volte e conte quantas vezes você marcou cada letra e escreva essa quantidade no espaço correspondente, abaixo.

RESULTADOS

A: _____ PALAVRAS DE AFIRMAÇÃO

B: _____ TEMPO DE QUALIDADE

C: _____ PRESENTES

D: _____ ATOS DE SERVIÇO

E: _____ TOQUE FÍSICO

Qual linguagem do amor recebeu a maior pontuação? Essa é a sua linguagem do amor primária. Se o total de pontos de duas linguagens for igual, você é "bilíngue" e tem duas linguagens do amor primárias. Se você tiver uma linguagem do amor secundária ou uma que tenha apresentado uma pontuação próxima da sua linguagem do amor primária, significa que as duas expressões de amor são importantes para você. A maior pontuação possível para qualquer uma das linguagens do amor é 12.

DETERMINANDO A LINGUAGEM DO AMOR DE UMA PESSOA NO ESTÁGIO INTERMEDIÁRIO-AVANÇADO OU ESTÁGIO AVANÇADO DA DOENÇA DE ALZHEIMER

Embora seja valioso conhecer a linguagem do amor primária de uma pessoa na fase anterior à demência, tenha em mente que, durante os estágios intermediário e avançado da doença de Alzheimer, a linguagem do amor de uma pessoa pode mudar. Portanto, a partir do estágio intermediário da doença, recomendamos expressar amor a pessoas com demência usando todas as cinco linguagens do amor. (Falaremos mais sobre isso no capítulo 4.)

Se você não sabe qual era a linguagem do amor na fase pré-demência de uma pessoa que está nos estágios intermediário ou avançado da DA, mas gostaria de dar um "palpite embasado" sobre ela, você talvez consiga deduzi-la por meio de um processo de dois passos.

Passo 1. Preencha o perfil de avaliação das linguagens do amor uma segunda vez em nome da pessoa de quem você cuida, respondendo as perguntas da maneira que você acha que a pessoa teria respondido antes da demência.

Passo 2. Responda as três perguntas a seguir, adaptadas do livro *As 5 linguagens do amor*.

1. Antes da demência, como seu ente querido costumava expressar amor mais frequentemente a você e a outros?
As pessoas naturalmente tendem a expressar amor aos outros do modo mais significativa para elas mesmas. Se elas realizavam regularmente *atos de serviço* para os outros, essa pode ter sido sua própria linguagem do amor. Se elas repetidamente

diziam coisas afirmativas, então *palavras de afirmação* provavelmente era sua linguagem do amor.

2. Antes da demência, do que seu ente querido se queixava com mais frequência?

Se você ou um membro da família viajava e voltava de mãos vazias, seu ente querido protestava dizendo: "Você não trouxe nada para mim"? Se era esse o caso, então *presentes* pode ter sido sua linguagem do amor primária. Se a pessoa se queixava dizendo: "Nós nunca passamos tempo juntos", então é bem provável que a linguagem do amor daquela pessoa fosse *tempo de qualidade*. Gary diz que "suas queixas revelam seus desejos interiores".

3. Antes da demência, quais eram os pedidos que seu ente querido fazia com mais frequência?

Se a pessoa pedia: "Você pode me fazer um afago nas costas?", isso queria dizer que estava pedindo *toque físico*. Se pedia: "Você poderia limpar seu armário hoje à tarde?", ela estava expressando seu desejo por um *ato de serviço*.

Com base nos resultados do questionário das linguagens do amor preenchido em favor da pessoa com demência, além das respostas às três perguntas apresentadas acima, penso que a linguagem do amor da pessoa de quem cuido antes da demência era _____. (Dependendo da progressão da doença, essa linguagem do amor ainda pode ser bastante importante para a pessoa.)

3

A doença de Alzheimer coloca o amor à prova

Todo o conhecimento escrito em livros
no mundo inteiro não é capaz de substituir
a experiência de viver com isso.

ABIGAIL, PARCEIRA DE CUIDADO DE SUA
MÃE COM DOENÇA DE ALZHEIMER

Por que a maioria dos casamentos e de outras conexões afetivas esgarçam quando a doença de Alzheimer invade o relacionamento? Nossa profunda empatia por todos aqueles que são atingidos por essa doença nos compele a responder: *porque a jornada* é *muito difícil!* Sabemos disso não apenas por nossas próprias observações comoventes — e, no caso de Ed, por experiência pessoal — mas também porque parceiros de cuidado como Troy nos disseram isso. Ele disse:

— Trata-se de uma doença progressiva, e nada melhora. Cada dia é mais difícil e mais emotivo que o último. Com exceção da infidelidade, provavelmente não há teste mais forte para o amor conjugal que a doença de Alzheimer.

Ao mesmo tempo em que incentivamos fortemente o "amor por opção" em todos os contextos do cuidado em parceria, cientes de que é totalmente possível, também reconhecemos que a DA complica os relacionamentos amorosos em alguns aspectos bastante problemáticos e aparentemente insuperáveis.

Conforme observado anteriormente, os principais fatores para sustentar uma conexão amorosa com uma pessoa com demência (PCD) são a perspectiva e os esforços do parceiro de cuidado. Contudo, quando o enorme peso do cuidado exauriu emocional, física e espiritualmente os parceiros de cuidado, torna-se extremamente difícil para eles reunirem energia para praticar os gestos intencionais de amor que defendemos. Significa que o estresse e a exaustão do cuidado podem enfraquecer ou destruir a "cola emocional" que une o parceiro de cuidado à pessoa com demência. Para muitos parceiros de cuidado, esse vínculo tornou-se tão fino por causa do desgaste que o simples fato de passar pelo "dia de 36 horas" consome toda a energia que eles conseguem reunir. A maioria dos parceiros de cuidado, para usar uma metáfora de Gary, está com o *tanque emocional vazio*.

> "Com exceção da infidelidade, provavelmente não há teste mais forte para o amor conjugal que a doença de Alzheimer." (Troy)

A solução — uma que ajuda a preservar a "cola emocional" — é os membros da família e os amigos encherem continuamente o tanque emocional do parceiro de cuidado com derramamentos intencionais de amor. Antes de aplicar as cinco linguagens do amor especificamente aos parceiros de cuidado, será útil destacar primeiro os sete aspectos da doença de Alzheimer que, em nossa opinião, mais ameaçam o frágil elo emocional dos relacionamentos.

SETE AMEAÇAS À "COLA EMOCIONAL"

A ilusão da infidelidade

Ilusão é a crença de que algo é verdadeiro quando de fato não é. Ilusões podem ocorrer quando uma pessoa interpreta erroneamente um impulso sensorial — o que é visto, ouvido ou sentido. A perda de memória, o declínio das funções visual e espacial, e outras mudanças cognitivas também podem contribuir. Cerca de 70% das pessoas com DA terão pensamentos ilusórios em algum momento.[1] Muito embora as ilusões possam estar presentes no início da doença, elas normalmente ocorrem mais tarde devido às mudanças do cérebro, as quais normalmente começam no estágio mediano. Às vezes as ilusões são disparadas por sobrecarga sensorial: luzes brilhantes, barulho excessivo ou sombras que distorcem a aparência de objetos comuns. Como resultado, pessoas, objetos e situações antes familiares podem agora parecer confusos e ameaçadores. Entre as ilusões comuns, estão a crença de que há um estranho em casa ou que as pessoas que aparecem na TV estão de fato presentes na sala. Algumas pessoas acreditam que seu verdadeiro cônjuge, um filho adulto ou até mesmo um animal de estimação ou sua própria casa foram substituídos por um impostor similar, uma ilusão conhecida como síndrome de Capgras.

Às vezes, a pessoa tem ilusões paranoicas. São falsas crenças que levam a pessoa a suspeitar ou desconfiar. Uma pessoa pode acreditar, por exemplo, que alguém a está espiando. Outra pode reclamar que seu dinheiro, roupas ou outros pertences estão sendo roubados. Crenças paranoicas normalmente afetam o comportamento. Pessoas podem reagir à crença de que seus bens estão sendo roubados acusando membros da família de roubo. Também podem começar a esconder ou acumular coisas.

A DOENÇA DE ALZHEIMER COLOCA O AMOR À PROVA

Os parceiros de cuidado nos contaram sobre entes queridos que acumulam todo tipo de coisas, de barras de chocolate a bolas de golfe! Naturalmente, é sempre possível que a reclamação de alguém seja legítima, de modo que é sábio investigar antes de presumir que se trata de ilusão.

De todas as ilusões paranoicas comuns, nenhuma impõe mais estresse sobre um casamento do que a falsa crença que o cônjuge está tendo um caso. Nesse cenário, a pessoa com DA fica convencida da infidelidade do cônjuge, mesmo não havendo qualquer prova. Uma vez que as ilusões parecem tão reais para a pessoa que as experimenta, nenhuma argumentação ou explicação convencerá a pessoa da fidelidade do cônjuge. As lágrimas e a angústia emocional provocadas pelas acusações de infidelidade são dolorosas e destrutivas para qualquer casamento, e casamentos que envolvem demência não são exceção. (No capítulo 5 compartilhamos uma estratégia para lidar com as ilusões e outros comportamentos desafiadores.)

Confusão de identidade

Quando a DA afeta não apenas a memória, mas também as partes do cérebro que nos permitem reconhecer rostos e interpretar estímulos sensoriais, uma pessoa pode ficar confusa em relação à identidade de membros da família ou de outros conhecidos de anos. A experiência que Ed descreveu no primeiro capítulo, quando sua esposa não mais o reconheceu como seu marido, é um exemplo disso. Para Ed, como você deve se lembrar, foi uma experiência emocional dolorosa.

A experiência de Sarah foi semelhante. Ela disse:

— Foi a primeira coisa que de fato me esmagou. Um dia, Bob, meu marido, apresentou-me a uma senhora como sendo sua irmã. Ele disse: "Você conhece minha irmã Lucy?". E meu queixo caiu! Mais tarde, no mesmo dia, ele se voltou para nosso genro e disse: "Você conhece minha irmã Lucy?". Isso realmente me chateou na época. Aconteceu dois anos atrás e penso que, por bastante tempo, ele achou que eu *era* a Lucy. Bob realmente tem uma irmã chamada Lucy. Ele agora sabe que sou sua esposa, mas ele acha que só está me visitando.

Depois de sobreviver ao choque inicial, Sarah e Ed aprenderam a lembrar a si mesmos que a confusão do cônjuge em relação à identidade deles se deve à doença. Em famílias em que não há o diagnóstico de DA ou em que há o diagnóstico mas pouca informação sobre a doença, a experiência da confusão de identidade continua a ser, como foi para Sarah, "esmagadora", sem nenhuma informação para ajudar a mitigar a dor emocional.

Comportamento estranho

Todo parceiro de cuidado envolvido com demência faria muito bem se memorizasse esta afirmação, extraída do livro *The 36-Hour Day* [O dia de 36 horas]: "Quando uma pessoa faz algo estranho ou inexplicável, normalmente é porque alguma parte do cérebro falhou ao fazer seu trabalho".[2] Os parceiros de cuidado nos contaram muitas histórias de comportamentos "estranhos ou inexplicáveis" de seus entes queridos:

- A esposa de Sam é obcecada por regar as plantas que estão dentro de casa. Ela as rega diariamente, e as plantas estão se afogando. Um dia, quando a água começou a transbordar dos vasos, Sam gritou para ela parar, mas sua esposa não parava. Eles discutiram sobre isso por alguns minutos até que Sam desistiu. Ele decidiu colocar sacos plásticos por baixo dos vasos para reter o excesso de água.
- A mãe de Abigail levantou-se às 2 horas da manhã e se

vestiu. Disse que estava esperando sua carona. Quando Abigail lhe disse que ninguém viria pegá-la no meio da noite, "ela olhou para mim como se eu fosse louca", conta Abigail.

- Marcy trouxe Jerry, seu tio, para casa para dar um descanso ao parceiro de cuidado. Marcy estava preparando biscoitos para oferecer a Jerry. Enquanto os biscoitos estavam assando, ela mostrou algumas conchas redondas e bem planas que havia trazido de sua viagem ao litoral. Jerry estava examinando atentamente uma daquelas conchas na mão quando o *timer* do forno soou. Marcy atravessou a cozinha, até o forno, e tirou a forma. Enquanto o delicioso aroma de biscoitos recém-preparados enchia o ambiente, ela ouviu um barulho forte de uma *mordida*...

- Paul pediu à esposa uma tigela de flocos de neve. Ela sabia que ele queria dizer sorvete.

- Bob achou que ele e sua esposa, Sarah, estavam saindo em viagem para que ele pudesse assumir um novo emprego. Ele encheu o porta-malas de seu carro com serras, níveis, martelos e um punhado de outras ferramentas. Enquanto Bob estava ocupado com outra coisa, Sarah esvaziou o porta-malas e trouxe todas as ferramentas de volta para casa. Bob levou todas as ferramentas para fora outra vez e colocou-as de volta no porta-malas. Sarah pacientemente tirou todas elas mais uma vez. O carregamento e o descarregamento prosseguiram por mais de uma semana.

Perda da intimidade sexual

Um dos aspectos menos abordados da doença de Alzheimer é o fato de que ela termina roubando do casal seu relacionamento sexual. A maioria dos adultos na terceira idade continua sexualmente ativa até mesmo aos 80 anos, e é possível que pessoas no início da DA ainda possam continuar a desfrutar da atividade sexual. Com o passar do tempo, porém, diversos fatores terminam conspirando para sabotar a intimidade sexual.

Conforme a doença invade os lobos frontais do cérebro, pessoas com DA lentamente perdem a capacidade de dar início a qualquer coisa, incluindo a atividade sexual. Além disso, com a perda de memória, as pessoas literalmente se esquecem de como fazer amor. Quando já não conseguem lembrar sua "rotina" anterior de preliminares, pessoas com DA podem se sentir muito envergonhadas ou incapazes de se envolver em atividade sexual. Algumas pessoas também se tornam hipersensíveis ao toque e, assim, avessas à atividade sexual.

> Quando uma pessoa com DA já não reconhece o cônjuge, a maioria dos parceiros de cuidado se sente desconfortável com manter o relacionamento sexual.

Como na história de Ed, quando uma pessoa com DA já não reconhece o cônjuge, ou na história de Sarah, quando o cônjuge é confundido com outro parente, a maioria dos parceiros de cuidado se sente desconfortável com manter o relacionamento sexual. Do mesmo modo, conforme destacado anteriormente, mesmo quando a intimidade não é atrapalhada pela doença em si, o abismo emocional entre o casal costuma anular o desejo por intimidade física.

Alguns cônjuges nos contam que não querem reaver a parte sexual de seu relacionamento. Pam diz que, para ela, isso se deve ao fato de seu marido não querer tomar banho e porque os hábitos de toalete dele são "perturbadores". A maioria dos maridos e esposas, porém, diz que sente falta de intimidade sexual com o cônjuge.

Desinibição

Quando o lobo frontal do cérebro é afetado pela demência, a pessoa tem menos controle sobre seus "modos" e sobre os comportamentos socialmente aceitáveis. Essa capacidade reduzida de controlar impulsos é chamada *desinibição*. Entre os comportamentos desinibidos temos xingamentos, falta de empatia, furto em lojas, grosseria, insensibilidade, interação insatisfatória com outras pessoas e, não muito comum, masturbar-se, urinar ou despir-se em público. Cerca de 36% das pessoas com DA exibirão algum tipo de desinibição durante o curso de sua doença.[3] A desinibição é muito mais comum entre os que apresentam demência frontotemporal (DFT).

A desinibição pode se estender a comportamentos sexuais. Conforme mencionado anteriormente, a maioria das pessoas com DA fica apática em relação ao sexo. Contudo, segundo a dra. Julie Williams, à medida que o lobo frontal fica mais comprometido, "a pessoa pode terminar ficando mais desinibida". Quando comportamentos sexuais desinibidos focam o cônjuge, a PCD pode ser insensível, agressiva e exigente, mostrando raiva se o cônjuge negar suas investidas. Quando a desinibição sexual é direcionada a outras pessoas que não o cônjuge, pode variar de comentários de mau gosto a investidas sexuais declaradas. Tudo isso é a doença em ação, confundindo a pessoa em relação à identidade dos outros ou até mesmo fazendo-a esquecer de que ela tem um cônjuge. A dra. Williams diz que a desinibição sexual direcionada a outros que não o cônjuge torna-se emocionalmente desafiadora para o cônjuge saudável, que, embora ferido, deve "situar o comportamento no contexto da doença. E isso não é fácil".

Sarah disse que, quando foi buscar o marido no centro aonde ele ia diariamente para tratamento, "ele estava de mãos dadas com uma das pacientes. Apenas ri comigo mesma. Imaginava que isso aconteceria. Eu meio que aceitei isso, embora seja algo muito difícil".

Repetição

Quando a DA já corroeu a memória de curto prazo, e a pessoa simplesmente não conseguir se lembrar das coisas de um minuto para o outro, as conversas podem ficar presas em um círculo infindável. Ed disse:

— Quando a pessoa com a doença fica fazendo a mesma pergunta ou se referindo repetidamente a um evento, o cônjuge fica frustrado. Ele perde a paciência e diz: "Você já me perguntou isso dez vezes! Por que não consegue se lembrar disso? Tome nota. Aqui está um bloco de *post-it*. Cole isso na sua testa".

É preciso muita paciência para responder uma pergunta pela vigésima vez da mesma maneira bondosa e natural como da primeira vez em que a pergunta é feita.

Eu (Debbie) tive meu primeiro vislumbre disso quando me pediram que me sentasse ao lado de um paciente de Alzheimer enquanto a esposa dele conversava sobre alguns exames. Aquele cavalheiro e eu estávamos sentados a menos de 3 metros da sala onde sua esposa estava. Nossa conversa foi mais ou menos assim:

— Oi, Bill. Eu sou a Debbie. Vou bater papo com você enquanto sua esposa conversa com o médico.

— Tudo bem. Onde está a minha esposa?

Apontei para a porta fechada e disse:

— Ela está naquela sala ali, conversando com o médico.

Bill pegou uma revista e começou a folheá-la. Então, de repente, ele a colocou de lado e perguntou:

— Onde está a minha esposa?

— Está vendo aquela porta ali? Ela está naquela sala. Ela vai sair daqui a alguns minutos.

— O que ela está fazendo ali?

— Está conversando com o médico.

Na esperança de distrair Bill, perguntei:

— Quantos filhos você tem, Bill?

— Não tenho certeza. Onde está a minha esposa?

Eu lhe disse novamente. Ele pegou a mesma revista, colocou-a de lado novamente e perguntou:

— Onde está a minha esposa?

"Sombra"

Pessoas como Bill, na parte final de sua jornada da DA, querem estar fisicamente próximas de seu parceiro de cuidados primário. Essa pessoa, mais do que qualquer outra, faz os doentes se sentirem seguros em um mundo cada vez mais incompreensível. Elas seguirão a pessoa que cuida delas pela casa o dia todo. Betsy nos disse que Brent, seu marido, a segue inclusive ao banheiro. "É como se estivesse colado em mim", disse ela, claramente exasperada.

A escritora Carole Larken destacou: "Depois de algum tempo, esse comportamento se torna perturbador e até mesmo irritante para o cuidador do paciente de Alzheimer. Essencialmente, o cuidador perde seu espaço pessoal e começa a se sentir sufocado pela pessoa com demência".[4]

O FARDO DO CUIDADOR

Os sete aspectos da DA descritos anteriormente, somados a outros não mencionados aqui, impõem um novo "normal" *anormal* aos relacionamentos capaz de arruiná-los ou afastá-los totalmente. Todos que conhecem a pessoa com DA devem lidar com o fato de que não se trata mais do mesmo cônjuge, pai, irmão ou amigo que eles conheciam antes que a doença se estabelecesse. Embora haja conforto em saber que a pessoa não mudou intencionalmente, esse conhecimento não torna a vida diária mais fácil para os familiares que cuidam da pessoa. Eles carregam uma "mochila" emocional conhecida na literatura profissional como *fardo do cuidador*. Embora o conteúdo das mochilas dos parceiros de cuidado possa diferir de acordo com as circunstâncias vividas, praticamente todas elas contêm os pesados componentes do luto e do estresse.

Luto do parceiro de cuidado

No prefácio que escreveu para o livro *The Longest Loss: Alzheimer's Disease and Dementia* [A perda mais longa: doença de Alzheimer e demência], o dr. Peter Rabins destacou que todas as demências "estão associadas a um processo de luto tanto na pessoa com demência quanto naqueles que a amam e cuidam dela".[5]

Gradualmente, as pessoas com DA perdem a capacidade de fazer coisas sozinhas, de se relacionar com outros e de lembrar quem são. Junto com cada perda, os parceiros de cuidado da família também perdem algo:

- A personalidade do ente querido que tornou seu relacionamento singular.
- A companhia da pessoa, talvez incluindo a intimidade sexual.
- A ajuda que o parceiro de cuidado estava acostumado a receber dela.
- A liberdade que o parceiro de cuidado tinha quando o cuidado era uma parte menor de sua vida diária.
- O futuro que havia sido planejado com a pessoa amada.

Algumas dessas perdas são especialmente difíceis porque não são tão claras ou definitivas como quando, por exemplo, ocorre a morte.

O marido de Betty tem DA. Uma amiga dela fez a seguinte observação: "Você está casada e ao mesmo tempo viúva". Esse comentário revela a natureza ambígua das perdas de Betty: embora esteja casada, em vários aspectos a doença de seu marido a deixou solteira. O luto ambíguo de Betty contrasta com o luto mais concreto do divórcio ou da morte. Se Betty estivesse sentindo pesar por um divórcio, tanto ela quanto seu ex-marido ainda estariam vivos, mas um ou ambos teriam escolhido o divórcio. Se ela estivesse de luto por causa da morte de seu marido, somente ela estaria viva, mas nenhum dos cônjuges teria escolhido a morte. Contudo, uma vez que o marido de Betty tem DA, seu luto é híbrido: tanto ela quanto o marido ainda estão vivos, mas nenhum dos dois escolheu a doença.

O luto da doença de Alzheimer é intermitente. Ele geralmente aparece no momento do diagnóstico, estabiliza no meio da doença e ressurge à medida que o fim da jornada se aproxima. O curso do luto muda ao longo da doença. No início, normalmente tanto a família quanto a PCD compartilham o pesar do diagnóstico. Nos estágios inicial e intermediário da doença, os entes queridos e a PCD sentem pesar por coisas diferentes. Os entes queridos lamentam o declínio cognitivo da pessoa diagnosticada, a mudança de personalidade e de comportamento; a PCD lamenta sua perda de habilidades e de independência. Na fase avançada da DA, quando a PCD perdeu a noção do que está acontecendo com ela, os membros da família lamentam sozinhos o final da jornada.

Estresse do parceiro de cuidado

De acordo com a Associação Americana de Alzheimer, 83% do cuidado feito nos Estados Unidos é realizado por membros da família não remunerados. Em 2015, cerca de 15,7 milhões de parceiros de cuidados não pagos prestaram 18,1 bilhões de horas de cuidado às pessoas com DA e outros tipos de demência.[6] Muitos que cuidam de um membro da família também mantêm um emprego e criam filhos. Em uma pesquisa envolvendo mulheres com jornada dupla, 53% disseram que cuidar de uma pessoa com DA era mais desafiador que cuidar de filhos.[7]

Independentemente de pagamento, treinamento ou relacionamento com uma PCD, o cuidado costuma ser uma tarefa solitária, estressante e ingrata. Muitos parceiros de cuidado da família têm pouca ou nenhuma ajuda concreta ou apoio emocional e, às vezes, ninguém que apareça para lhes dar um tão necessário descanso. Aqueles que estão "de plantão" em regime 24/7 e/ou frequentemente privados de sono costumam ficar esgotados e vivem em um estado de estresse crônico e ininterrupto. O estresse crônico faz mais do que nos desgastar. Ao aumentar a presença dos hormônios de estresse adrenalina e cortisol na corrente sanguínea, o estresse implacável cobra um preço bem alto do corpo. Acredita-se que o cortisol em excesso aumenta a pressão sanguínea e prejudica o sistema imunológico, tornando os parceiros de cuidado mais vulneráveis a doenças.

Parceiros de cuidado altamente estressados têm mais possibilidade de apresentar problemas de saúde de longo prazo, como doenças cardíacas, derrame, câncer, diabetes ou artrite. Pelo fato de estarem mais concentrados no cuidado da PCD do que em si mesmos, eles apresentam maior probabilidade de aumento significativo de peso e menor probabilidade de se exercitar ou de preparar refeições saudáveis.[8]

O estresse do parceiro de cuidado também cobra um preço emocional. Não é surpresa que 40% dos familiares que são parceiros de cuidado sofram de depressão clínica. Quanto mais severo o comprometimento cognitivo da pessoa de quem eles cuidam, maior a probabilidade de o parceiro de cuidado ficar deprimido.[9] Gracie disse:

> "O divórcio passa pela mente de muitos parceiros de cuidado em algum momento."
> (Dra. Julie Williams)

— Eu amo a vida! Levanto pela manhã e abro as janelas, grata por estar aqui e, depois de 30 minutos, sou lembrada de onde realmente estou. Estou no meio da demência. E minha alegria se esvai rapidamente. Lido com a depressão todos os dias.

Muitos parceiros de cuidado também lutam com a ansiedade e uma imensidão de emoções. Pedimos a alguns deles que citassem a emoção que melhor caracteriza sua experiência como cuidadores:

Cherie: tristeza
Stephen: frustração
Peter: solidão
Marsha: ressentimento, arrependimento e amargura

Marsha explicou:
— Este é o meu segundo casamento. Se eu tivesse me esforçado um pouco mais no meu primeiro casamento, talvez não estivesse nesta situação agora. Sinto-me traída. Queria seguir adiante com minha vida.

Embora nem todos os parceiros de cuidado admitam, a dra. Williams relata que o divórcio passa pela mente de muitos parceiros de cuidado em algum momento. Ed diz:

— Sem dúvida, a carga emocional é maior e as questões familiares são mais complexas em segundos casamentos quando a demência afeta um dos parceiros.

Embora todos os parceiros de cuidado que entrevistamos para este livro tenham descartado o divórcio como uma opção para si mesmos, eles entendem o desejo bastante humano de escapar de uma situação emocionalmente dolorosa e fisicamente exaustiva.

O FARDO DO CUIDADOR: NOSSAS PESQUISAS

Usando uma pesquisa de autoavaliação chamada Zarit Caregiver Burden Interview, entrevistamos 50 parceiros de cuidado de PCD que participavam de grupos de apoio. Esse questionário pede aos participantes que usem uma escala de cinco níveis para indicar como se sentem em relação a certos aspectos do cuidado. Em resposta à pergunta: "Você sente que, por causa do tempo que passa com seu parente, você não tem tempo suficiente para si?", cerca de 80% disseram que se sentem dessa maneira "às vezes", "com frequência" ou "quase sempre". Em resposta à pergunta: "Você se sente estressado por se dividir entre cuidar do seu parente e tentar cumprir outras responsabilidades com sua família ou do trabalho?", 39% disseram que se sentem dessa maneira "às vezes", "com frequência" e "quase sempre".

Também entrevistamos 100 parceiros de cuidado usando o Marwit-Meuser Caregiver Grief Inventory. Esse questionário mede preocupação e isolamento, tristeza e anseios, além do fardo do sacrifício pessoal. Mais da metade dos entrevistados concorda com a declaração: "Independência é algo que perdi... Não tenho a liberdade de sair e fazer o que quero" e "Gostaria de ter uma hora ou duas para mim por dia para cuidar de interesses pessoais".

O APOIO SOCIAL É REALMENTE IMPORTANTE

À medida que a DA progride, os que são afetados por ela tornam-se cada vez mais dependentes da provisão e da misericórdia de seus parceiros de cuidado. Quando alguém está cuidando de um indivíduo dependente, isso cria uma díade desigual na qual uma pessoa basicamente dá e a outra basicamente recebe. Existe potencial para abuso nesses cenários de cuidado desequilibrado e estressante. De acordo com um estudo publicado em 2009 pelo Centro Nacional de Abuso de Idosos (NCEA, na sigla em inglês), "perto de 50% das pessoas com demência experimentam algum tipo de abuso".[10] Em 2010, outro estudo descobriu que "47% dos participantes com demência haviam sido maltratados por seus cuidadores".[11]

O abuso ocorre não apenas nos piores cenários envolvendo pobreza e vícios em drogas, mas às vezes também quando pessoas com DA são membros amados da família. Mesmo em ambientes onde as necessidades físicas e financeiras são atendidas, uma díade dependente pode ser horrivelmente prejudicial quando o estresse do parceiro de cuidado é excessivo, permanente e não aliviado, levando os cuidadores a um ponto de ruptura emocional.

Estresse elevado em parceiros de cuidado é também uma preocupação por outras duas razões importantes. Primeiro, e de certo modo irônico, o pesado fardo do cuidador e o estilo de vida não saudável que costuma acompanhar o cuidado podem de fato aumentar o risco de demência para o próprio cônjuge cuidador. Um estudo de 2010 descobriu que maridos e esposas que cuidam de um cônjuge com demência têm seis vezes mais possiblidade de desenvolver demência do que pessoas cujo cônjuge não tem essa doença.[12] Embora muitos fatores estejam associados ao estabelecimento da demência, a pesquisa ainda não mostrou qualquer relação de "causa e efeito". Um provável contribuinte, porém, é o excesso de cortisol provocado pelo estresse crônico. Isso aumenta a inflamação do cérebro, um conhecido acelerador do declínio cognitivo. Os especialistas também acham que o isolamento social do cuidador, ligado a pouca atividade física, sono ruim e um aumento de consumo de comidas tipo *fast food* ou alimentos processados são todos fatores que podem contribuir para o aumento do risco de demência em parceiros de cuidado.

A segunda razão para preocupação vem do estudo intitulado "Efeitos na saúde do cuidador", de 1999. Os investigadores escreveram: "[Nossos] dados indicam que os cuidadores que dão apoio a seu cônjuge e que alegam tensão do cuidador têm 63% mais chance de morrer dentro de 4 anos do que os não cuidadores". O estudo definiu "cuidadores com tensão" como aqueles que têm idade entre 66 e 96 anos, com "níveis significativamente mais elevados de sintomas de depressão, maiores níveis de ansiedade e menores níveis de saúde percebida" e "com probabilidade muito menor de obter descanso suficiente de maneira geral, ter um período de descanso quando estão doentes ou ter tempo para se exercitar".[13]

Vinte e sete dos cinquenta parceiros de cuidado que pesquisamos com o Zarit Caregiver Burden Interview responderam afirmativamente a pergunta: "Você sente que sua saúde tem sofrido por estar envolvido com seu parente?". A maioria dos parceiros de cuidado que entrevistamos pessoalmente também nos disse que cuidar de seu ente querido causou um impacto negativo sobre sua saúde. Sarah disse: "Fui diagnosticada com diabetes tipo 2 e acho que ela foi provocada por estresse. Como me preocupo e cuido do meu marido, esqueço de mim mesma".

A história de Sandra, em particular, ilustra a razão pela qual os parceiros de cuidado acham difícil cuidar de suas próprias necessidades de saúde.

Sandra contou:

— Como muito quando estou estressada. Precisei começar a cuidar de mim mesma porque meus números, como pressão sanguínea, colesterol e peso, estavam todos muito altos. Havia sinais claros de que minha saúde havia deteriorado e era necessário me conscientizar daqueles números e lutar contra eles.

Ela marcou consulta com seu médico. Seu plano era que Aaron, seu marido, fosse com ela, mas no dia da consulta ele se recusou a se vestir. Em vez de cancelar a consulta, ela pediu a um vizinho que desse uma olhada em Aaron.

Ao voltar para casa depois da consulta, ela viu carros de polícia em sua vizinhança. Quando entrou em casa, viu seu marido e um policial. Ela descobriu que o vizinho não havia notado que Aaron havia fugido, sem roupas, e que havia caminhado assim perto de uma escola das redondezas. Esse "desastre", como Sandra falou, foi tentativa dela de cuidar da própria saúde. Aaron declinou rapidamente depois desse incidente e Sandra relembra:

— Meu interesse em focar na minha saúde foi colocado em segundo plano enquanto lidamos com as muitas questões que se seguiram.

A Associação Americana de Alzheimer destaca que cuidar de uma PCD nem sempre provoca no parceiro de cuidado estresse ou gera consequências negativas em sua saúde. Em seu relatório *Facts and Figures* de 2015, a organização afirma que o estresse dos cuidadores varia de acordo "com a severidade da demência, com o quão desafiadores certos aspectos do cuidado são considerados pelos cuidadores, com a *presença de apoio social* e com a personalidade do cuidador" [ênfase do autor].[14] De maneira similar, o Instituto Nacional da Idade afirma que "os cuidadores que têm *fortes sistemas de apoio* e capacidade bem desenvolvida de lidar com a situação podem ser capazes de suportar os estresses de cuidar de um ente querido com DA" [ênfase do autor].[15]

À luz dessas descobertas, nossa visão é a de que os esforços para apoiar os parceiros de cuidado estressados são mais do que meros atos de bondade. O apoio social é uma intervenção que pode ajudar a impedir o abuso do paciente e reduzir o risco de demência, enfermidade e morte prematura para o parceiro de cuidado. *O apoio social é realmente importante.*

A RECEITA DO AMOR

O peso dos fardos presentes na "mochila" do parceiro de cuidado tem muito a ver com a maneira como eles a carregam sozinhos. Um dos objetivos deste capítulo é incentivar o apoio social, usando a própria linguagem do amor do parceiro de cuidado, para reduzir o fardo de cuidador que ele carrega. As cinco linguagens do amor podem ser ferramentas eficientes para comunicar o apoio amoroso que suaviza ou reverte alguns dos sintomas danosos do estresse. Pessoas tanto de dentro quanto de fora da família podem usar as linguagens do amor do parceiro de cuidado para ajudá-lo a "carregar a mochila". Sempre que o tanque emocional de um parceiro de cuidado estiver vazio, as cinco linguagens podem ser usadas de forma criativa de modo a ajudar que ele fique cheio novamente.

FAMÍLIAS E AMIGOS: MANEIRAS DE APOIAR OS PARCEIROS DE CUIDADO

O dr. Alan Wolfelt, especialista em luto, faz distinção entre luto e tristeza. O luto, diz ele, é interno. A tristeza é externa, uma experiência que compartilhamos com outros. O que costuma acontecer, diz ele, é que muitas pessoas "acabam vivendo o luto dentro de si mesmas em isolamento, em vez de colocar a tristeza para fora de si mesmas na presença de companhias amadas".[16]

> "As pessoas desistem porque o cuidado pode ser uma atividade excessivamente solitária." (Ed Shaw)

Em seu livro *Loving someone who has dementia* [Amando alguém que tem demência], a dra. Pauline Boss diz aos parceiros de cuidado: "Você precisa evitar ficar isolado em um relacionamento que talvez nunca volte a ser recíproco".[17] Muitos parceiros de cuidado falam da solidão que experimentam à medida que seus queridos declinam, deixando-os cada vez mais isolados. O isolamento pode ser letal para a resistência do parceiro de cuidado. Ed disse:

— Os seres humanos são criaturas de relacionamento. As pessoas desistem porque o cuidado pode ser uma atividade excessivamente solitária.

As expressões intencionais de amor, administradas criativamente através das cinco linguagens do amor, ajudam a remediar o isolamento, um dos aspectos mais dolorosos da parceria de cuidado. Se você conhece alguém que cuida de uma PCD, não subestime o imenso valor de ir até ela em amor e apoio. Isso é o que transforma o isolamento do luto na experiência curadora de sentir tristeza em comunhão com outros.

O USO DAS CINCO LINGUAGENS DO AMOR PARA ALCANÇAR OS PARCEIROS DE CUIDADO

Assim como todos nós, o parceiro de cuidado em Alzheimer se sente mais emocionalmente amado quando outras pessoas falam a linguagem do amor dele. Com o propósito de personalizar a forma de alcançar uma pessoa que atua como parceira de cuidado, peça que ela preencha o questionário sobre as linguagens do amor (apresentado no capítulo 2) de modo que vocês dois possam descobrir qual é sua linguagem do amor primária. Então, de posse desse conhecimento, fortaleça o parceiro de cuidado usando a linguagem que "fala amor" a ele de maneira mais clara. Nunca perca de vista o fato de que seus esforços para beneficiar o parceiro de cuidado por fim ajudarão também a pessoa que está sob os cuidados dele.

Falando atos de serviço

Os parceiros de cuidado costumam necessitar de ajuda prática. Parceiros de cuidado idosos podem resistir à ajuda se foram criados acreditando que é seu dever matrimonial fazer tudo sozinhos. Os especialistas dizem que é mais fácil para parceiros de cuidado aceitar ajuda se as ofertas forem bastante específicas e se a pessoa que faz a oferta de ajuda for gentilmente persistente. As ofertas de ajuda específicas soam mais ou menos assim:

— Vou ao mercado hoje à tarde. Posso trazer alguma coisa para você?

— Estou fazendo uma sopa de legumes. Será que posso passar aí à tarde para deixar uma porção para você?

— Tenho algumas horas livres na manhã de quinta-feira. O que você acha de eu levar o Fred para dar um passeio de carro para que você possa ter um tempo para você?

Existe uma infinidade de atos de serviço que poderiam ser de ajuda genuína para um parceiro de cuidado. Algumas ideias: cortar a grama, lavar a roupa, pegar um remédio na farmácia, compartilhar vegetais da sua horta, limpar a calçada, recolher folhas caídas, fazer consertos na casa, oferecer-se para ficar com a PCD de modo que o parceiro de cuidado possa comparecer a um grupo de apoio, fazer tarefas externas, se exercitar, dormir um pouco ou ir a uma consulta médica.

Falando palavras de afirmação

Gary escreveu no livro *As 5 linguagens do amor*: "Para o psicólogo William James, é bem possível que a mais profunda necessidade humana seja a de sentir-se apreciado. As palavras de afirmação satisfazem essa necessidade em muitas pessoas".[18] As pesquisas sugerem que quando os membros da família mostram sua apreciação pelos esforços do parceiro de cuidado, este passa a crer que seu fardo é mais leve. Ed diz que toda vez que ele conversa por telefone com sua filha Leah ela quase sempre lhe diz: "Pai, você está fazendo um ótimo trabalho". Ed compartilhou esse encorajamento simples mas poderoso com muitos de seus pacientes e clientes de aconselhamento.

A maioria dos parceiros que entrevistamos nos disse que enfrenta dificuldades com pensamentos de culpa — culpa por não estar fazendo mais pela pessoa com a doença, culpa quando separam um tempo para si próprios ou culpa por ser cognitivamente normal e seu cônjuge amado não ser. O encorajamento verbal pode ajudar um parceiro de cuidado cansado a estender graça a si próprio, aliviando a culpa, visto que as palavras de outros afirmam que a carga que ele carrega é pesada e ele está se saindo bem. Os parceiros de cuidado cuja linguagem do amor é *palavras de afirmação* podem se sentir amados através de ligações telefônicas, cartões comemorativos, mensagens de texto ou *e-mails* que expressem admiração pelos esforços do parceiro de cuidado. Elogiar o parceiro de cuidado, tanto particularmente quanto na presença de outros, também pode ser bastante significativo: "Helen faz um trabalho maravilhoso no cuidado com o John — ela é muito paciente com ele".

Outra ideia é colocar um quadro de avisos, um quadro branco ou uma lousa onde familiares e amigos possam colocar bilhetes, escrever citações inspiradoras ou palavras de encorajamento que o parceiro de cuidado possa ver todos os dias. Para ser mais divertido e dar um ar moderno a essa ideia, pinte um trecho de parede, uma porta ou uma mesa com tinta lousa e tenha à mão uma caixa de giz colorido.

Falando tempo de qualidade

Gary define tempo de qualidade como "dar atenção completa a alguém".[19] O amor intencional movido por opção, chamado *hesed*, é o amor *tempo de qualidade*. No capítulo 2, nós incentivamos os parceiros de cuidado a alcançarem a vida daqueles de quem cuidam com o amor *hesed*. Aqui, prescrevemos doses generosas de *hesed* para o parceiro de cuidado.

Ir até os parceiros de cuidado com *tempo de qualidade* é o melhor bálsamo que conhecemos para o isolamento da atividade de cuidado. Passar tempo de qualidade pode significar ouvir um parceiro de cuidado que está sozinho ou sofrendo com o luto. Também pode significar o envolvimento da pessoa em experiências agradáveis que servem como uma pausa e constroem amizade. Os parceiros de cuidado cuja linguagem é *tempo de qualidade* podem gostar especialmente de um tempo individual com um ouvinte que demonstra simpatia e que se concentra naquilo que o parceiro de cuidado tem a dizer e sinceramente busca entender o que aquela pessoa está sentindo. Do mesmo modo, a participação em um grupo de apoio a parceiros de cuidado pode ser bem útil. E todos os parceiros de cuidado precisam de um tempo longe da PCD, fazendo algo divertido com uma companhia.

Falando toque físico

Quando uma PCD perde a capacidade de ter a iniciativa de demonstrar afeição ou tornou-se avessa ao toque, a vida do cônjuge parceiro de cuidado ganha um vazio. Amigos e familiares podem se aproximar dele com abraços, tapinhas nas costas, toques com as mãos ou um toque confortante no ombro do parceiro de cuidado. Dependendo do relacionamento, uma massagem nos pés ou nas costas também pode ser bem-vinda.

A linguagem do amor primária de Ed é *toque físico*. Sua família e seus amigos sabem que ele é um "abraçador". Bing, um de seus amigos homens mais próximos, é americano de origem japonesa. Por causa de sua cultura e também em função do seu jeito de ser, Bing não é o tipo de cara naturalmente chegado ao *toque físico*. Contudo, Bing é intencional não apenas em se encontrar semanalmente com Ed para passarem algum "tempo de homem" juntos, mas também em dar a Ed um "abraço de homem" quando eles se despedem. Bing reconhece a importância do *toque físico* para seu amigo e, de maneira intencional, vai a ele com um abraço para apoiar o cuidado que Ed tem por Rebecca.

Se a linguagem do amor do parceiro de cuidado é *toque físico*, estes gestos podem ajudar a encher seu tanque emocional:

- Quando estiver conversando com a pessoa, ocasionalmente toque-a brevemente no ombro ou no cotovelo (considerados lugares "seguros" para serem tocados). Se vocês oram durante as refeições, segurem as mãos enquanto a oração é feita.

- Parceiras de cuidado podem gostar de um relaxante *spa* em casa enquanto você passa um tempo com a PCD: encha a banheira, acenda uma vela perfumada, adicione música suave e use uma loção pós-banho relaxante.
- Em ocasiões próprias para presentear, ou até mesmo sem um motivo especial, dê um confortável presente tátil: uma manta macia, um par de chinelos ou luvas acolchoados, uma massagem nos pés em um *spa*, um edredom de pena de ganso, um vale-massagem ou até mesmo um bichinho de pelúcia.

Falando presentes

Como já foi mencionado anteriormente, os presentes podem ser tangíveis ou intangíveis. Quando o presente intangível é aquilo que Gary chama de "dar de si mesmo" ou "o presente da presença",[20] a linguagem de *presentes* se mistura com a linguagem de *tempo de qualidade*. A presença física de uma pessoa é em si o presente e diz: "Eu me importo com você".

Presentes tangíveis podem ser um mimo pessoal como um chocolate ou um ingresso para um show, ou coisas que podem fornecer ajuda prática. Quando presentes tangíveis são bem escolhidos, a linguagem de *presentes* mais uma vez se mistura com outras linguagens do amor, como nos exemplos acima sobre dar presentes táteis para uma pessoa cuja linguagem do amor seja *toque físico*. Um parceiro de cuidado cuja linguagem do amor seja *presentes* pode se sentir amado e também ajudado por presentes práticos como refeições que podem ser congeladas e mantidas à mão, vales-compras para combustíveis, mercados ou restaurantes, contratação de um serviço de limpeza da casa ou de jardinagem para o parceiro de cuidado. Filhos adultos podem dar o presente do tempo de descanso para o pai ou a mãe que é o cuidador passando algumas manhãs na semana com a PCD ou contratando um cuidador profissional para ajudar com tarefas como dar banho e vestir.

UMA LINGUAGEM PARA A VIDA TODA

Nossas preferências em relação à linguagem do amor ao que parece estão "entretecidas" em nossa composição natural. Gary disse: "Acredito que nossa linguagem do amor primária tende a permanecer conosco a vida toda".[21] Dessa forma, embora nada ligado à experiência de cuidar de alguém possa alterar a linguagem do amor primária do parceiro de cuidado, Gary acredita que as circunstâncias possam elevar a importância de outra linguagem do amor durante algum tempo. Ainda que, por exemplo, *atos de serviço* não seja a linguagem do amor de um parceiro de cuidado, se ele estiver exaurido pela experiência do cuidado e sentir-se muito mal por causa de uma gripe, o generoso ato de serviço de um amigo que aparece para fazer uma limpeza em sua casa pode encher completamente seu tanque emocional.

SENSIBILIDADE CULTURAL

Atitudes relacionadas ao cuidado e à aceitação de ajuda variam de uma cultura para outra. Embora os afro-americanos tenham duas vezes mais probabilidade de desenvolver a DA do que os norte-americanos brancos,[22] as famílias afro-americanas usam menos serviços de agências do que as famílias brancas.[23] Conforme mencionado anteriormente, algumas culturas acreditam que a demência é uma punição por pecados do passado e/ou um constrangimento que traz vergonha sobre a família. Americanos de origem latina ou hispânica, americanos de origem asiática e americanos brancos podem ter diferentes crenças sobre a demência

Se as famílias acreditam que devem esconder a DA dos de fora, elas podem resistir à ajuda e ao apoio. Portanto, com base em uma "competência cultural", antes de recorrer a uma família com um antecedente cultural diferente do seu, primeiro pesquise as crenças daquela cultura. Mais especificamente, será útil entender suas crenças sobre cuidados de saúde, demência e a adequabilidade de aceitar ajuda que venha de fora da família. Habitualmente, a melhor maneira de fazer isso é fazer amizade com um membro da cultura e pedir a ele que ensine sobre sua cultura. Educadores de saúde usam essa mesma abordagem do "informante" para planejar intervenções culturalmente adequadas na saúde pública.

CUIDADOS PARTICULARES
PARA PARCEIROS DE CUIDADOS

Os autores do livro *The 36-Hour Day* [O dia de 36 horas] escreveram: "O bem-estar da pessoa que tem demência depende inteiramente do seu bem-estar. *É essencial que você encontre maneiras de cuidar de si mesmo, de modo que não venha a exaurir seus próprios recursos emocionais e físicos*" (ênfase do original).[24] Concordamos e insistimos que você transforme sua própria saúde numa prioridade mais elevada do que a saúde da pessoa sob seus cuidados.

Isso parece egoísta?

Eu (Debbie) costumava pensar que sim. Em *A Season at home* [Uma temporada em casa], um livro para mães que não trabalham fora (já fora de catálogo), escrevi sobre a experiência que mudou meu jeito de pensar. Estava voando da Carolina do Norte para Los Angeles com meu filho de dois anos de idade. Talvez tenha prestado mais atenção às instruções de segurança apresentadas antes do voo naquele dia pelo fato de Chris estar comigo. A comissária de bordo explicou que as máscaras de oxigênio cairiam de cima se houvesse queda na pressão da cabine. Ela disse: "Se você estiver viajando com uma criança pequena, coloque sua própria máscara de oxigênio antes de tentar ajudar a criança". Essa declaração me perturbou. Pensei: "Se Chris e eu precisássemos de oxigênio, não seria egoísmo cuidar de mim primeiro?".

Ponderei sobre isso por algum tempo antes de finalmente concordar que a companhia aérea estava certa. Uma criança poderia resistir à tentativa do pai de colocar a máscara sobre a cabeça dela. Enquanto o pai estivesse tentando ganhar a luta pelo poder, poderia desmaiar pela falta de oxigênio. Então, sem nenhuma ajuda, a criança poderia desmaiar também. Mas ao instruir os pais a fazerem a coisa "egoísta", a companhia área aumenta as chances de ambos obterem o oxigênio.

Eu escrevi: "A lição que aprendi naquele dia é esta: não é egoísmo das mães satisfazerem suas próprias necessidades; é algo inteligente".[25]

É igualmente inteligente pensar da mesma forma quando se cuida de uma pessoa com demência. Para ser *capaz* de cuidar daquela pessoa, você *deve* cuidar de si mesmo. Para colocar a ideia de outra maneira, o que aconteceria à pessoa sob seus cuidados se algo acontecesse a você? Firme o propósito de ser intencional quanto ao cuidado para consigo mesmo à luz destes fatos sérios:

- Metade dos parceiros de cuidado relata que seu próprio declínio de saúde compromete sua habilidade de atuar como cuidador.[26]
- Conforme notado anteriormente, parceiros de cuidado com estresse extremo têm 63% mais chances de morrer num período de quatro anos do que os não cuidadores.[27]

CUIDAR É UM ESPORTE COLETIVO

Se você é um parceiro de cuidado, não tente seguir teimosamente sozinho. Parte do cuidado por si mesmo é permitir-se receber cuidado dos outros. Ed diz aos parceiros de cuidado que cuidar é um esporte coletivo. Seu aviso se baseia no conselho que um dia recebeu do médico de Rebecca, o dr. Jeff Williamson. Ele disse a Ed:

— Você chegou a um ponto de sua jornada onde não pode mais pensar em si mesmo como alguém que ajuda os outros; agora, você precisa se tornar alguém que é ajudado.

Ed agora passa esse mesmo conselho a outros parceiros de cuidado. Ele lhes diz:

— Se você não envolver sua família e outros no compartilhamento das responsabilidades de cuidado, a probabilidade de você se desgastar ou desistir será muito maior. Você passará a ter uma atitude ruim se nunca fizer uma pausa. Você precisa ter um tempo só para você. Isso fará de você um parceiro de cuidado melhor.

> "Existem muitas razões pelas quais as pessoas não ajudam ou não conseguem ajudar." (Ed)

Poucas pessoas questionariam a sabedoria contida no ato de transformar o cuidado em um esporte coletivo. O problema é que a maioria dos parceiros de cuidado não tem pessoas suficientes em seu time. Embora algumas pessoas circulem naturalmente em torno de um paciente de Alzheimer e de seu parceiro de cuidado, a maioria vai precisar de um convite para se juntar ao time de cuidado. Ed sugere fazer uma lista de membros em potencial do time de cuidados:

—Simplesmente compartilhe o diagnóstico com essas pessoas. Diga-lhes em qual estágio da doença a pessoa se encontra e qual o tipo da ajuda de que você precisa. Seja especifico. Diga, por exemplo, coisas como "realmente preciso de ajuda para cuidar do gramado. Você poderia apará-lo?". Quando a resposta for "sinto muito, não tenho tempo", ainda assim agradeça e não julgue. Existem muitas razões pelas quais as pessoas não ajudam ou não conseguem ajudar.

É comum que as pessoas que se voluntariam para ajudar sejam aquelas que o parceiro de cuidado jamais esperaria que o fizessem. Em outras ocasiões, como Sonya descobriu, as pessoas das quais se espera ajuda terminam se afastando. Quando Sonya pediu a dois dos membros da família mais próximos que se juntassem ao time, ambos declinaram. Um deles lhe disse:

— Tenho problemas em ouvir você falar sobre como isso é duro para você quando quem está perdendo a vida é o seu marido.

Felizmente, quando Sonya pediu a seus amigos da igreja mais próximos que se juntassem ao time, a resposta deles foi:

— Vamos ficar do seu lado.

Ela lhes disse:

— Se vocês quiserem saber como estou, me liguem; preciso da voz humana. Abracem-me; se vocês não me tocarem, ninguém o fará.

Sonya disse:

— Eles assumiram a tarefa de maneira linda.

Assim como acontece com as equipes esportivas, nem todo mundo consegue ou precisa desempenhar o mesmo papel no time de apoio do parceiro de cuidado. Algumas pessoas se sentem desconfortáveis na presença de alguém com DA; outros são verdadeiramente dotados para lidar com eles. Algumas pessoas possuem tempo e energia, mas pouco dinheiro. Outras têm dinheiro, mas pouco tempo e energia. Algumas pessoas são incentivadoras naturais; outras são realizadoras naturais, sempre trabalhando na cozinha, no jardim, nos carros ou nos computadores. A questão é: embora as pessoas possam variar bastante em seus talentos e circunstâncias, praticamente todo mundo pode contribuir com alguma coisa para um time de apoio ao parceiro de cuidado. Elas só precisam ser convidadas a participar.

Muitos parceiros de cuidado se beneficiam imensamente com a participação em um grupo de apoio. Uma vez que todos os participantes estão enfrentando desafios similares, esses grupos oferecem um nível de coleguismo que pode ser difícil de encontrar em outro lugar. Sarah observou:

— Pessoas que não convivem com o Alzheimer não entendem o que você está de fato enfrentando.

Betsy compartilhou com lágrimas nos olhos com seu grupo de apoio algo que ela não havia compartilhado com outras pessoas porque, segundo ela, não precisava explicar isso a todos eles.

Como "capitão do time", seja proativo sobre usar sua própria linguagem do amor para cuidar de si mesmo. Se, por exemplo, sua linguagem do amor é *receber presentes*, quando você precisar de um empurrão emocional, compre para si mesmo um pequeno mimo como um chocolate ou uma revista. Se você é uma pessoa *atos de serviço*, mantenha uma lista de maneiras pelas quais os outros podem ajudar você e peça ajuda quando precisar. Se *toque físico* é significativo para você, marque uma massagem ou um tratamento facial. Se a sua linguagem do amor é *palavras de afirmação*, ligue para um amigo. Se *tempo de qualidade* está no topo da sua lista, quando alguém se voluntariar para passar tempo com a pessoa de quem você cuida, convide um amigo para dar uma caminhada com você.

Seu time estará mais bem equipado para apoiar você se eles entenderem o que é mais significativo para você. Explique as cinco linguagens do amor para seu time e compartilhe com eles qual é a sua linguagem do amor principal (ou dê a eles uma cópia deste livro ou um dos livros *As 5 linguagens do amor*).

DICAS PARA PARCEIROS DE CUIDADO

Se você é um parceiro de cuidado, temos três sugestões para você manter sua saúde e sua qualidade de vida:

1. Faça exercícios. O exercício melhora a saúde dos vasos sanguíneos do cérebro, permitindo uma melhor circulação de nutrientes e oxigênio para os neurônios. Em um estudo, os participantes que se exercitavam regularmente em casa mostraram "melhora significativa" em sua sensação de fardo e em seu bem-estar físico. Não se sentiam tão cansados e tinham melhor qualidade de sono. Os pesquisadores especularam que "o aumento na atividade física... levou a uma melhoria na qualidade do sono, o que, por sua vez, melhorou os sintomas físicos e psicológicos".[28] Insistimos que você seja fisicamente ativo por pelo menos 150 minutos por semana. Se você tem problemas de saúde, converse com seu médico sobre o tipo de exercício mais indicado para você.

2. Durma. Seis a sete horas de sono noturno podem ajudar o cérebro a se livrar da proteína beta-amiloide tóxica que leva à DA.[29] Sono adequado é absolutamente vital para os parceiros de cuidado. Embora um dos benefícios do exercício seja a melhoria na qualidade do sono, se a pessoa de quem você cuida levanta muito durante a noite, ainda que você se exercite, terminará sofrendo. Esse é um problema que você precisa resolver. Você tem condições de contratar um cuidador noturno? Se não, será que você tem um amigo do time de apoio ou um membro da família que, se lhe for pedido, estaria disposto a ficar com a PCD todos os dias por uma hora ou duas para que você consiga tirar uma soneca?

3. Procure um terapeuta e tome um antidepressivo se necessário. Ed disse: "Até mesmo a tristeza crônica pode acabar com as 'substâncias da felicidade' presentes no seu cérebro. Este é o nono ano de nossa jornada do Alzheimer. Eu tomo antidepressivos e eles têm sido bastante úteis. Também tenho um conselheiro com quem conversar". Se a sua qualidade de vida diminuiu por causa da tristeza crônica ou da depressão, converse com seu médico sobre a prescrição de um remédio antidepressivo e a indicação de um profissional da área de saúde mental para obter suporte de terapia. Procure também um grupo de apoio para cuidadores de PCD.

4

Cada dia é o melhor dia

Meus ontens estão desaparecendo e meus amanhãs são incertos; para o que eu vivo? Vivo para cada dia. Vivo o momento.

DO FILME *PARA SEMPRE ALICE*

Existe uma urgência tocante de amar alguém com a doença de Alzheimer. Existe uma *urgência* porque, como Troy disse no capítulo anterior, "essa é uma doença progressiva e nada melhora". É por isso que Ed diz aos parceiros de cuidado que "cada dia é o melhor dia". Ele quer dizer que, pelo fato de que nenhum dia futuro com o Alzheimer será melhor do que o dia chamado *hoje*, é importante extrair o máximo de cada dia. Assim, a urgência é também *tocante*, despertando as emoções.

Ed está pessoalmente familiarizado com a urgência tocante. Ele disse:

— Eu sempre imaginei Rebecca e eu envelhecendo juntos. Mas quando ela foi diagnosticada com a doença de Alzheimer, sendo médico, eu sabia aonde isso terminaria e sabia o tempo em que isso ocorreria. A expectativa de vida média é de 8 a 10 anos e, de repente, 10 anos não parecia muito tempo. Quanto mais longe na jornada chegamos, e quanto mais perto chegamos daquilo que presumo ser o fim da jornada, mais consciente fico do tempo e de como o passei, especialmente com ela.

O que é importante agora é que possamos extrair o máximo daquilo que temos — um ao outro, nossos filhos, nossa família e amigos e também nossa fé — e que façamos de cada dia o melhor que ele possa ser.

UM PASSO ATRÁS

Os autores do livro *The 36-Hour Day* [O dia de 36 horas] escreveram que "a demência não elimina de uma hora para outra a capacidade de uma pessoa de experimentar amor".[1] Pelo fato de as pessoas com DA realmente preservarem a capacidade de experimentar o amor, a incorporação das linguagens do amor no cuidado com elas a cada estágio da doença pode ajudar a transformar cada um dos seus dias no "melhor dia". Isso nem sempre é fácil, especialmente quando o parceiro de cuidado não estiver em seu próprio "melhor dia". As duras realidades da parceria no cuidado exigem que alguém repetidamente escolha amar. É uma escolha que se torna mais difícil e, por necessidade, mais intencional à medida que cada *hoje* se transforma lentamente em um ontem. Às vezes é bom fazer uma pausa e relembrar por que alguém optou por fazer essa escolha.

O dr. Alan Wolfert diz que, quando uma pessoa está de luto por uma morte, não devemos empurrá-la para frente na esperança de que ela rapidamente "supere". Em vez disso, diz ele, devemos convidar a pessoa a voltar para lembrar e honrar a vida da pessoa falecida.[2] Por razões similares, recordar quem a PCD foi para você nos anos passados ajuda a optar continuamente por amar a pessoa no futuro, quando a estrada se tornar mais acidentada do que é neste exato momento. Como você conheceu a pessoa? Qual era a característica dela de que você mais gostava? Celebre essa pessoa e o que ela significou para a sua vida, relembrando a história dela, seus feitos e sua personalidade singular. Se sentir desejo de fazê-lo, coloque esses pensamentos por escrito de modo que possa lê-los outra vez nos "dias não tão bons" do futuro. Esse exercício é importante porque *aquilo que a pessoa foi* está desaparecendo; quem ela vai se tornar de agora para frente será definido pela doença.

A dra. Julie Williams disse que, à medida que a demência altera a personalidade, os comportamentos e os atributos de um ente querido, as famílias "precisam saltar por entre alguns aros emocionais conforme se ajustam para expressar amor por uma *nova pessoa* — uma que não será capaz de retribuir esse amor da maneira como fizera uma dia". Ed concorda, destacando que quanto mais forte o casamento ou a família tiver sido antes da doença, mais lembranças positivas existem para delas se beneficiar quando o amor se tornar uma escolha consciente diária. A demência complica todos os problemas relacionais, de modo que as famílias e os casamentos que estavam enfrentando problemas antes de a doença atacar podem ter mais dificuldades para lidar com a situação. Pelo fato de que o ente querido não será a mesma pessoa que eles conheceram no passado, a dra. Williams sugere que os membros da família se preparem para a probabilidade de que venham a se "sentir diferentes" em relação àquela pessoa.

As pessoas que estão no início da jornada da demência podem frequentemente sentir que seu cônjuge "sente de maneira diferente". Timothy mostrou um humor distorcido quando, de maneira retórica, perguntou à sua esposa:

— Você não pediu para isso acontecer, não é?

— Sei que está sendo difícil para você — respondeu Danielle a seu marido. — Sinto muito.

Pessoas recém-diagnosticadas costumam ser sensíveis a mudanças na maneira como o cônjuge as trata em função da doença. Um grupo de pessoas casadas diagnosticadas com demência precoce compartilhou conosco seus sentimentos sobre como a doença havia mudado o relacionamento que cada uma tinha com seu cônjuge:

- Jimmy: está preocupado com a saúde de sua esposa e pergunta a si mesmo: "Ela conseguirá cuidar de mim no futuro?".
- Keisha: sente que sua condição "não é tão ruim", e se sente ofendida quando seu marido lhe diz que é "seu cuidador".*
- Kate: triste por causa daquilo de que seu marido precisou abrir mão em função da doença dela, sentindo-se culpada pela forma como sua vida está limitando a dele.
- Carlos: ferido por causa da atitude condescendente de sua esposa.
- Geoff: "esperando para ver o que vão tirar de mim amanhã".
- Josephine: chateada porque não é vista como uma pessoa capaz de fazer coisas.

O consenso das pessoas do grupo era que seus cônjuges estavam frustrados com elas, e elas estavam genuinamente preocupadas com isso. A palavra *tocante* vem à mente mais uma vez: as pessoas com demência são impotentes para mudar o curso de sua doença e incapazes de diminuir a frustração que ela causa na pessoa amada de quem elas precisam depender.

---

*O comentário de Keisha foi o que motivou nossa decisão de usar o termo *parceiro de cuidado* em vez de *cuidador* ao nos referirmos aos membros da família. *Parceiro de cuidado* é menos hierárquico e permite que a pessoa que está nos primeiros estágios da doença se sinta emocionalmente igual ao membro da família que presta o cuidado.

QUANDO O AMOR SE TORNA UM ALVO MÓVEL

Fazer com que cada dia seja o melhor é um desafio, e não apenas por causa dos problemas mencionados acima e pelo fardo do cuidador descrito no capítulo anterior. Também é um desafio por uma razão que se aplica unicamente às pessoas com DA: as linguagens do amor que são mais significativas para uma pessoa com Alzheimer *mudam* conforme a doença avança.

Katia, cujo pai tem DA, disse:

— Anteriormente, quando meu pai e eu nos víamos, sempre nos abraçávamos e colocávamos os braços em torno um do outro. Agora precisamos mudar o modo como demonstramos afeto para uma maneira que possa ser entendida. Outra maneira pela qual costumávamos mostrar afeição mutuamente era provocar um ao outro. Eu ainda tento provocá-lo, mas agora ele não entende isso, de modo que essa não é mais uma maneira adequada de fazê-lo. Preciso descobrir como posso mostrar meu amor a ele de uma maneira diferente agora.

Uma mudança na linguagem do amor também ficou evidente no casamento de Malik e Aisha, mencionados no capítulo 2. O casamento deles começou a se desmanchar quando Aisha foi diagnosticada com comprometimento cognitivo leve (CCL). Na época em que foram ver Ed, ele disse:

— Eles pararam de segurar as mãos. Pararam de se aconchegar um no outro. Não têm intimidade física há anos.

Durante esse período de estranhamento físico, a linguagem do amor de Aisha mudou.

Como normalmente acontece, Malik e Aisha tinham linguagens do amor diferentes quando se casaram. Nos primeiros anos de seu casamento, *toque físico* era bastante importante para Malik, mas não tinha nenhuma importância para Aisha. Antes do diagnóstico de Aisha, Malik expressava naturalmente seu amor por ela segurando as mãos dela, dando abraços e fazendo amor. Quando Aisha foi diagnosticada com CCL, Malik começou a se afastar dela. Com o passar do tempo, ironicamente, Aisha e Malik literalmente trocaram de lugar em sua necessidade por afeição física. Conforme a doença progredia, Aisha ficou confusa com a ausência de afeição física em seu casamento. Ela agora precisava experimentar o amor de Malik de uma maneira que não havia sido importante para ela no passado. No aconselhamento, Ed lhes falou sobre as cinco linguagens do amor e deu a eles tarefas para realizar em casa com o propósito de reconstruir sua conexão emocional por meio do *toque físico* e do *tempo de qualidade*.

POR QUE AS LINGUAGENS DO AMOR MUDAM

A linguagem do amor primária de uma pessoa cognitivamente sadia não muda. Se *palavras de afirmação* fazem uma pessoa se sentir amada quando tem 20 anos de idade, elas continuarão a fazer com que a pessoa se sinta amada quando chegar aos 90. Quando a DA entra em cena, porém, a capacidade de uma pessoa de perceber o amor se torna algo semelhante a um alvo móvel. A razão é que uma linguagem do amor em particular só é capaz de ser significativa para uma pessoa se a região cerebral onde ela ressoa não tiver sido danificada ou destruída pela doença. À medida que o cérebro se deteriora, uma linguagem do amor que costumava ser relativamente desimportante para uma pessoa pode se tornar mais importante com a progressão da doença, como no caso de Aisha. Em outras palavras, a percepção que uma pessoa tem quanto a ser amada pode mudar à medida que o cérebro em si também muda.

O cérebro adulto tem cerca de 100 bilhões de neurônios. Em um cérebro sadio, os neurônios podem viver 100 anos ou mais. Em um cérebro afetado pela DA, os neurônios inflamam e progressivamente morrem. Com exceção de algumas poucas regiões cerebrais, essas células mortas não são substituídas, resultando, com o passar do tempo, em muitos tipos de problemas cognitivos. Todos os aspectos da vida da pessoa e de seus relacionamentos com outras terminam por ser impactados, incluindo a capacidade de dar e receber amor através das cinco linguagens do amor.

O AMOR E OS LOBOS

Os primeiros neurônios a serem afetados pela DA estão no lobo temporal do cérebro, no hipocampo. O hipocampo é uma estrutura com formato semelhante ao de um cavalo-marinho, essencial para a memória (o nome "hipocampo" vem das palavras gregas *hippos*, "cavalo", e *kampos*, "monstro marinho"). A perda de memória de curto prazo, sintoma principal da doença de Alzheimer, se deve à perda dos neurônios do hipocampo. Do lobo temporal, a DA progride lentamente, terminando por invadir os lobos frontal e parietal também. Os lobos occipitais, que controlam a visão, não costumam ser diretamente impactados pela DA. Nem todo mundo experimenta declínio cognitivo da mesma maneira e com a mesma velocidade. Outros tipos de demência apresentam sintomas diferentes e podem progredir mais rapidamente ou mais lentamente do que a DA.

Embora cada lobo do cérebro seja "especializado" em coisas diferentes, como notou nossa amiga e colega de trabalho, a dra. Christina Hugenschmidt, "nenhuma área do cérebro trabalha de maneira isolada. Cada área está sempre em interligação com outras áreas do cérebro, de modo que uma teoria é que a doença de Alzheimer pode se espalhar ao estilo de uma rede".

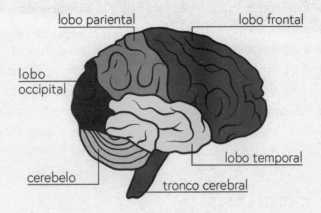

Uma breve olhada em cada uma das funções-chave dos lobos deixa facilmente clara a razão de as linguagens do amor serem impactadas pela doença de Alzheimer.[3,4,5,6] (Você poderá encontrar informação mais detalhada em "Lobos do cérebro", no Apêndice B.)

Lobos frontais: O centro de gerenciamento
Os lobos frontais controlam a função executiva (a capacidade de prestar atenção, concentrar-se, permanecer na tarefa, planejar, resolver problemas e a multitarefa). Esses lobos também estão envolvidos na expressão verbal, no movimento físico e na capacidade de controlar o comportamento, incluindo a inibição relacionada a palavras e ações socialmente inaceitáveis. Eles abrigam os neurônios-espelhos, que nos capacitam a sentir empatia por outros e a entender seu ponto de vista.

Lobos temporais: O centro de memória e emoção
Cada um dos lobos temporais abriga um hipocampo e uma amígdala. Os hipocampos ajudam a formar e a armazenar novas lembranças, nos capacitando, dessa forma, a aprender. São

também importantes na recuperação de lembranças de longo prazo. As amígdalas nos ajudam a reconhecer rostos,[7] integrar emoções, aprendizado emocional e memória emocional (os componentes emocionais das lembranças).

Lobos parietais: O "GPS" interno

Os lobos parietais interpretam informação de nossos cinco sentidos e nos ajudam no reconhecimento de objetos e rostos familiares. Esses lobos nos capacitam a nos orientarmos no espaço tridimensional, incluindo separar esquerda da direita. Juntamente com os lobos temporais, os lobos parietais capacitam as habilidades matemáticas e a compreensão da linguagem.

Lobos danificados e as linguagens do amor

Conforme a DA inflige dano aos lobos frontais, temporais e parietais, ela cada vez mais prejudica a capacidade de expressar todas as cinco linguagens do amor. O dano no lobo frontal em particular pode de fato fazer com que uma pessoa se comporte de maneira *desamorosa*. O dano no lobo frontal prejudica as seguintes atividades:

- Empatia, a capacidade de perceber e se importar com as necessidades e sentimentos dos outros.
- Planejamento e iniciativa, necessários para dar presentes ou realizar atos de serviço.
- Linguagem expressiva, afetando a capacidade da pessoa de falar palavras de afirmação.
- Motivação para expressar amor.
- Controle de impulsos, tornando a pessoa propensa a discutir, xingar ou realizar coisas socialmente impróprias (o que recebe o nome de "desinibição").

- Percepção, a capacidade de entender que certos comportamentos e comentários são impróprios, embaraçosos ou nocivos aos outros.

A expressão das linguagens do amor também é prejudicada pelo dano provocado nos lobos temporal e parietal. O dano no lobo temporal prejudica muitas funções, incluindo memória, compreensão da fala, reconhecimento de faces, objetos e lugares, e expressão de emoção.

As funções prejudicadas por dano no lobo parietal incluem senso de toque, consciência espacial (o "GPS interno"), o reconhecimento ou a nomenclatura do que é visto e a compreensão do que os outros dizem.

Conforme o dano nos lobos temporal e parietal se torna severo, uma PCD tem cada vez mais dificuldade de se envolver em tempo de qualidade, receber palavras de afirmação, reconhecer membros da família e amigos que lhe são familiares ou experimentar o toque físico de maneira confortável e significativa. Nos estágios avançados da DA, quando o dano cerebral é amplo, a capacidade de expressar amor a outros é basicamente perdida e a capacidade de receber amor através das cinco linguagens se torna um "alvo móvel".

A COMUNICAÇÃO DE AMOR A UMA PESSOA COM DA

Amamos esta citação do livro *The 36-Hour Day* [O dia de 36 horas] porque ela expressa muito bem a mensagem principal de nosso livro: "Felizmente, o amor não depende de habilidades intelectuais. Concentre-se na maneira como você e outras pessoas ainda compartilham expressões de afeto com a pessoa que tem demência".[8] Concordamos, crendo que em todos os pontos da jornada o foco não deve estar naquilo que a pessoa com DA *perdeu*, mas naquilo que ela *deixou*. Diante disso, a missão se torna: *em função da cognição que ainda resta, qual a melhor maneira de comunicar amor à pessoa?* É muito importante lembrar que simplesmente porque os indivíduos não podem mais expressar amor aos outros não significa que eles sejam incapazes de experimentar emocionalmente o amor que os outros expressam a eles.

Uma compreensão de qual das habilidades de um indivíduo foi perdida nos ajuda a nos concentrarmos adequadamente nas habilidades que ainda restam. Olhamos para o declínio de cognição em termos das funções dos lobos cerebrais. Vamos analisá-la outra vez, agora no contexto dos estágios da DA.

OS ESTÁGIOS DO DECLÍNIO COGNITIVO

Durante a doença, as placas amiloides e os emaranhados tau se acumulam no cérebro, neurônios morrem e o cérebro encolhe, fazendo com que a pessoa fique gradativamente incapacitada. Mudanças ocorrem à medida que a doença progride de DA leve para moderada e daí para severa.

Doença de Alzheimer leve

Na DA leve (estágio inicial), embora a morte de células esteja ocorrendo, as pessoas ainda retêm a maioria de suas funções. O estágio inicial da DA normalmente dura de dois a quatro anos e é mais caracterizado pela perda progressiva da memória de curto prazo. A espontaneidade diminui devido à apatia e há um declínio no interesse em passar tempo com a família e os amigos. A DA leve também é caracterizada por mudanças de personalidade, julgamento prejudicado, processo ruim de tomada de decisões e crescente dificuldade em realizar tarefas que exigem múltiplos passos, como cozinhar e administrar o dinheiro. As funções executivas começam a ser afetadas. A função executiva é exigida para realizar as relativamente complexas "atividades instrumentais de vida diária" (AIVDs), que são:

- Usar o telefone
- Dirigir
- Fazer compras
- Preparar refeições
- Limpar a casa e lavar roupa
- Tomar remédios
- Administrar dinheiro

Na fase bem inicial da DA, as pessoas conseguem realizar essas tarefas sem ajuda. Com o passar do tempo, elas ainda conseguem realizá-las com alguma ajuda. Por fim, a cognição declina a tal ponto que a pessoa é totalmente incapaz de realizar essas tarefas. Quando se torna incapaz de realizar as AIVDs, o indivíduo fez a transição para o estágio intermediário da doença e não consegue mais viver de maneira independente.

Doença de Alzheimer moderada (estágio intermediário)

Na DA em estágio intermediário a parceria no cuidado muda para o papel mais estressante de *cuidador*. Quanto mais o cérebro é afetado, problemas de comportamento e dificuldades de linguagem aumentam e se tornam notáveis para os outros. A perda de memória continua, o intervalo de atenção se torna menor e a habilidade de pensar de maneira lógica declina. Repetição, perambulação, ilusões, desinibição e síndrome do crepúsculo costumam ocorrer nesta fase mais longa da doença, que pode durar de dois até dez anos.

Durante a DA moderada, a pessoa tem dificuldade crescente de cuidar e movimentar o próprio corpo. Por fim, tornam-se incapazes de realizar as "atividades de vida diária" (AVDs), que são menos complexas que as AIVDs perdidas no estágio inicial da DA. As AVDs são as atividades de cuidado consigo mesmo durante o dia e o preparo para dormir à noite. Geralmente se considera como AVDs:

- Tomar banho
- Vestir-se
- Comer
- Escovar os dentes
- Ir ao banheiro (controle da bexiga e do intestino; higiene)
- Fazer transferências (de caminhar para sentar; de sentar para deitar)

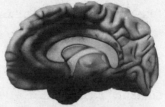

DA pré-clínica

DA leve a intermediária

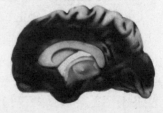

DA severa

Imagem cortesia do National Institute on Aging/National Institutes of Health.

As pesquisas sugerem que o fornecimento de experiências emocionais positivas para os que estão no estágio intermediário pode ajudar a aliviar o estresse e diminuir problemas de comportamento. Além disso, é confortante saber que a perda de noção do que está acontecendo poupa a pessoa com demência de alguma angústia emocional que, de outra forma, poderia estar sentindo em relação àquilo que ela perdeu.

Doença de Alzheimer avançada

Quando a DA tira da pessoa a capacidade de realizar as AVDs, deu-se a transição para a DA severa, a fase final. Neste estágio, as pessoas perdem a capacidade de responder ao seu ambiente. Tornam-se incapazes de manter uma conversa, embora ainda possam dizer algumas palavras e frases que talvez não sejam compreensíveis. Engolir se torna difícil e pode levar à pneumonia por aspiração, um tipo de infecção que pode ocorrer se comida ou líquido forem aspirados para os pulmões. A pessoa torna-se incapaz de sorrir ou de administrar suas próprias necessidades corporais. A capacidade de caminhar ou até mesmo de se sentar ereta em uma cadeira é perdida, tornando-a totalmente dependente dos outros. Esta fase da doença normalmente dura de um a três anos.

Quando a pessoa atinge o estágio final da DA, uma vez que não responde (ou é incapaz de fazê-lo), parece razoável concluir que não faz sentido continuar a relacionar-se com a pessoa por meio das linguagens do amor. Entendemos essa visão, mas não a endossamos. Uma razão pela qual não o fazemos é o relato de pessoas que emergiram de um estado de inconsciência ou de coma, outras condições que impedem a pessoa de responder. Considere os excertos de artigos apresentados a seguir.

Do *Nursing Times*:

Lawrence (1995) descobriu que pacientes inconscientes podiam ouvir e responder emocionalmente à comunicação verbal. Ao ser avaliado neurologicamente, um paciente entendeu o pedido da enfermeira para que apertasse sua mão, mas era incapaz de se mover. Outro declarou: "Eu podia pensar e podia ouvir, mas não podia me mover e não podia andar ou abrir meus olhos".[9]

Da publicação britânica *The Telegraph*:

CADA DIA É O MELHOR DIA

Geoffrey Lean escreveu: "Preso em um coma depois de uma cirurgia que deu errado, ouvia a equipe médica discutir meu caso, sem conseguir me juntar à conversa. Ouvia minha esposa falando comigo, mas era incapaz de responder... Também conseguia sentir a mão de minha querida esposa sobre a minha, nossos dedos entrelaçados. Sabia que era ela — embora não conseguisse entender o que ela estava fazendo ali — e ela me trouxe enorme conforto".[10]

A especialista em doença de Alzheimer Joanne Koenig Coste escreveu: "Embora ocorram muitas perdas com essa doença, presuma que o paciente ainda pode registrar sentimentos importantes".[11] É incomum até para uma pessoa em estágio avançado de DA chegar a um ponto onde seja emocionalmente não responsiva. Cremos que as expressões de amor continuam a ressoar em algum nível emocional profundo contanto que a pessoa esteja viva.

FALAR AS LINGUAGENS DO AMOR POR TODA A JORNADA DA DA: POR QUE ISSO É IMPORTANTE

Em uma pesquisa realizada pela Universidade de Iowa,[12] dois grupos de pessoas assistiram a uma série de clipes de vídeo com duração de 20 minutos. Um grupo tinha DA; o outro grupo era cognitivamente normal. Os primeiros clipes deixaram todos tristes e em lágrimas. O segundo grupo de clipes fez com que todos rissem e se sentissem felizes. Depois da apresentação de cada conjunto de filmes, os participantes fizeram um teste para ver o que lembravam daquilo que haviam acabado de assistir. Conforme esperado, o grupo com DA se lembrou de menos coisas do que o outro grupo. Uma pessoa com DA nem sequer se lembrava de que havia assistido os clipes. Contudo, 30 minutos depois, todos do grupo com DA

117

ainda se sentiam tristes ou felizes. O aspecto mais significativo é que as pessoas que se lembraram menos dos filmes sentiam as emoções mais fortes.

O líder da pesquisa disse à publicação universitária *Iowa-Now*: "Isso confirma que a vida emocional de um paciente com Alzheimer está ativa e bem".

Os pesquisadores publicaram suas descobertas no jornal *Cognitive and Behavioral Neurology*. Eles declararam:

> O fato de os sentimentos daqueles pacientes poderem persistir, mesmo na ausência de memória, destaca a necessidade de evitar a provocação de sentimentos negativos e de tentar induzir sentimentos positivos com visitas frequentes e interação social, exercício, música, dança e piadas, bem como servir aos pacientes sua comida favorita. Dessa forma, nossas descobertas servem de apoio aos cuidadores ao mostrar-lhes que suas ações em relação aos pacientes realmente importam e podem influenciar de maneira significativa a qualidade de vida e o bem-estar subjetivo de um paciente.[13]

O autor do artigo no *IowaNow* viu nesse estudo "uma mensagem inequívoca: os cuidadores têm uma influência profunda — boa ou ruim — sobre o estado emocional dos indivíduos com a doença de Alzheimer". Concordamos e sentimos que esse estudo enfatiza o imenso valor de se cercar os pacientes da DA com doses imensas de coisas positivas, agradáveis e amorosas, expressas de todas as maneiras possíveis.

Em seu prefácio ao livro *The 36-Hour Day* [O dia de 36 horas], o dr. Paul R. McHugh escreveu que a demência, "tal como muitos outros aspectos da vida, pode seguir um caminho melhor ou pior dependendo dos contextos e das circunstâncias produzidos pela mediação de familiares e amigos".[14] Quer você seja um parceiro de cuidado, um membro da família ou um amigo, o impacto de suas expressões intencionais de amor a uma PCD não pode ser desprezado. Seus gestos amorosos podem infundir alegria nessa jornada difícil e solitária.

QUANDO O AMOR SE TORNA UMA VIA DE MÃO ÚNICA

Todos os relacionamentos são sustentados por lembranças. "A memória é o maior componente situacional do amor", explicou Ed. O "sentimento" do amor vem das lembranças que associamos a ele. Esse emparelhamento ocorre pela conexão do hipocampo com a amígdala no lobo temporal. À medida que a memória de um dos parceiros desvanece, toda a história do relacionamento terminará existindo apenas na memória da pessoa saudável, e apenas ela será capaz de trazer à tona essas lembranças para fazer com que o relacionamento siga adiante. Todas as pessoas com DA não apenas perdem a capacidade de criar novas lembranças com seu amado, mas também perdem as lembranças que, em primeiro lugar, construíram o relacionamento. Quando isso acontece, a pessoa não afetada recebe a missão de sustentar o amor do casal pelo restante da jornada.

Em *As 5 linguagens do amor*, a descrição feita por Gary do amor genuíno é repetidamente ligada à palavra *escolha*: o amor é "a escolha de gastar energia num esforço para beneficiar a outra pessoa"; o amor "brota da razão e da *opção*"; "amar é sempre uma *escolha*".[15] Optar por amar uma pessoa com DA é uma escolha extraordinariamente altruísta. É uma escolha por amar alguém que é — ou que se tornará — incapaz de retribuir seu amor, alguém que não pode amar você de volta.

Ed disse:

— Em um relacionamento, você quer que as coisas sejam meio a meio. Quando chegou o diagnóstico de Rebecca, soube que nunca mais seria meio a meio. Agora é algo como 99% a 1%. Tenho sido bastante intencional quanto a permanecer próximo, muito embora essa doença se intrometa cada vez mais. Não sinto que meu tanque emocional esteja cheio, mas realmente sinto que mantivemos o melhor relacionamento possível, dadas as circunstâncias. Ao expressar amor a alguém em estágio intermediário ou avançado da doença de Alzheimer, você precisa fazer a escolha de amar sem ter a expectativa de receber amor de volta. Pode não haver um "muito obrigado", um abraço ou um beijo reconhecendo seu ato de amor. A pessoa a quem você ama pode até mesmo rejeitar sua tentativa de mostrar-lhe amor.

> "Talvez você tenha de lembrar a si mesmo diariamente que a pessoa a quem você ama é capaz de receber amor." (Ed)

A dra. Williams incentiva as pessoas a se lembrarem de algo importante:

— Só porque você não vê uma luz nos olhos da pessoa amada quando massageia seus pés ou segura sua mão não significa que ela não esteja se conectando. Não quer dizer que a pessoa não ama você.

Ed concorda, reconhecendo a imensa dificuldade do amor de mão única. Ele disse:

— Talvez você tenha de lembrar a si mesmo diariamente que a pessoa a quem você ama é capaz de receber amor.

Também é importante comemorar qualquer pequena medida de demonstração de amor da pessoa feita a você. Ed complementa:

— Sua expectativa quanto a receber amor tem de diminuir sensivelmente.

Troy disse:

— Certa noite, Danielle me beijou no ombro. Você pode não ter nenhuma outra palavra, nenhum outro olhar, nada, mas, naquele momento, tive a confirmação de que ela ainda me ama. Esses são os momentos que me fazem seguir adiante.

O marido de Sarah às vezes ainda diz "eu amo você". Ela disse:

— Embora ele não se lembre de nosso casamento, [aquelas três palavras] significam muito para mim agora, provavelmente mais do que significavam antes.

A COMUNICAÇÃO DO AMOR À MEDIDA QUE A MEMÓRIA E A COGNIÇÃO DESAPARECEM

As cinco linguagens do amor podem ser usadas para melhorar qualquer relacionamento, incluindo aquele com a pessoa cuja cognição está declinando e cuja memória está falhando. Movidas por bondade e criatividade, as linguagens do amor podem melhorar a qualidade de vida de pessoas com DA. A dra. Hugenschmidt disse que é importante lembrar que ainda que a linguagem do amor primária de uma PCD continue a mesma, "o método pelo qual ela gosta de receber essa linguagem pode ter sido alterado".

Também é importante lembrar que quaisquer sentimentos positivos gerados persistirão por mais tempo do que a lembrança do ato de bondade que foi realizado. A dra. Maya Angelou certa vez fez este famoso comentário: "As pessoas esquecerão o que você disse, as pessoas esquecerão o que você fez, mas as pessoas nunca esquecerão como você as fez se sentir".

Mantendo essas duas ideias como contexto, vamos explorar algumas maneiras de usar as cinco linguagens do amor para manter o amor vivo por toda a jornada do Alzheimer.

PALAVRAS DE AFIRMAÇÃO

A capacidade de entender a linguagem normalmente é preservada até a fase avançada da DA. Pensando na maior parte da jornada, a dra. Williams disse:

— Penso que temos de presumir que uma pessoa consegue receber e entender *palavras de afirmação*.

Considerações especiais

Ao se comunicar com qualquer PCD, é importante ser respeitoso. A dra. Williams disse:

— Sempre me dirijo aos pacientes como se eles fossem capazes de responder a todas as minhas perguntas. Se eles tropeçam, ajudo de maneira gentil ou peço ao cuidador ou ao membro da família que ajude com aquelas respostas.

Nem todo mundo é tão sensível com os sentimentos do paciente. A dra. Williams observou que algumas pessoas parecem ter o seguinte pensamento:

— Quanto mais elas repetirem uma pergunta, maior é a probabilidade de que a pessoa diga uma resposta. O que elas não percebem é que isso é degradante. Essa é uma oportunidade de educar famílias sobre estratégias eficazes de comunicação.

* * * * * *

Como já vimos, pessoas com DA podem experimentar pensamentos ilusórios. Quando isso acontece, sua capacidade de receber expressões verbais de amor é prejudicada e elas podem interpretar essas expressões de maneira errada. A dra. Hugenschmidt notou:

— *Palavras de afirmação* é uma linguagem do amor que eu certamente entendo como algo que é percebido de maneira diferente à medida que a pessoa progride na doença. Parece que ela de fato muda no decorrer da doença por conta da ansiedade e da desconfiança que podem surgir juntamente com a deterioração do cérebro. Quando isso acontece, *palavras de afirmação* podem ser percebidas como algo insincero ou condescendente.

LINGUAGEM DE AMOR: *PALAVRAS DE AFIRMAÇÃO*	
Demonstre amor	**Evite**
Estágio inicial da DA: Foque mais nos sentimentos da PCD que nos fatos.	Não force a PCD a relembrar (não vai ajudar).
Diga "nós" em vez de "ele" ou "ela", pois isso aumenta o relacionamento ("Tivemos um contratempo" ou "Tivemos um dia terrível").	Quando outros estiverem presentes, não fale sobre a PCD na terceira pessoa (ele, ela). Reconheça sua presença e inclua a na conversa, mesmo que ela não possa contribuir verbalmente.
Fale de forma calma, clara e gentil.	Quando a PCD estiver presente, não conte aos outros o que a pessoa não faz mais; evite palavras como "não consegue" ("ele não consegue mais fazer isso").
Estágio intermediário e avançado da DA: Aborde o medo e o comportamento com afirmações verbais: "Eu amo você. Você está em segurança e está tudo está."	
Cartas e cartões não são significativos quando a PCD perde a capacidade de ler.	Não fale com a PCD de uma forma condescendente, como se ela fosse uma criança ("Muito bem! Comeu tudo hoje!").
Mesmo quando a PCD tem dificuldade em entender a linguagem atual, ainda responde ao carinho na voz de alguém.	Não discuta sobre as percepções da realidade da PCD. Em vez de contradizer ou corrigir, valide os sentimentos dela e direcione a conversa para outra direção.
	Não levante a voz ou fale bruscamente. Isso pode criar estresse.

TOQUE FÍSICO

A linguagem do *toque físico* fornece uma maneira maravilhosa de confortar e acalmar uma PCD. Contudo, como a dra. Hugenschmidt destacou, e conforme ilustrado pela história de Ed no capítulo 1, "o toque que a PCD quer de você vai mudar à medida que muda a percepção que ela tem sobre quem você é". O toque pode ser expressivo ou instrumental. O toque expressivo consiste de abraços, segurar de mãos, tocar o cabelo e outros gestos de afeição. O toque instrumental é ligado à tarefa, como ocorre no caso das AVDs de dar banho, trocar fraldas ou levar ao banheiro.

Considerações especiais

Ao prover o cuidado pessoal, que normalmente começa a ser necessário no meio da doença, é importante fazê-lo de uma maneira que preserve a dignidade da pessoa. A importância disso foi percebida por Ed quando Adele, cuja mãe está no estágio avançado da DA, fez uma visita de aconselhamento.

— Minha mãe me bate toda vez que vou visitá-la na casa de repouso — lamentou Adele. — Às vezes ela literalmente me soca, e com vontade.

Procurando entender, Ed fez algumas perguntas a Adele: qual era o contexto do comportamento negativo de sua mãe? O que parecia disparar essa reação?

Adele explicou que visitava sua mãe quase todo dia. A primeira coisa que ela fazia ao chegar era trocar a fralda de sua mãe. Sua mãe sempre reagia batendo em Adele. Isso fazia Adele ficar irritada e frustrada pois estava tentando ser uma filha boa e atenciosa, do mesmo modo como sua mãe fora para ela. Como resultado desse combate diário entre mãe e filha, as duas passavam seu tempo juntas irritadas e interagindo de maneira ruim.

Ed fez duas sugestões a Adele. Primeiro, que ela delegasse

toda troca de fraldas à equipe de atendentes da casa de repouso. Segundo, que na próxima visita levasse chocolate para sua mãe. Adele considerou que valia a pena tentar isso.

Ed relembra com satisfação:

— Essa nova abordagem mudou completamente o relacionamento delas. Ele se tornou positivo. Elas conseguiam se relacionar de maneira diferente e a mãe chegou até mesmo a dizer algumas poucas palavras a Adele quando sua interação deixou de ser negativa.

Muito embora a mãe de Adele não pudesse andar e raramente falasse, ela sentia que seu recato e sua dignidade eram violados quando sua filha, de quem havia trocado as fraldas, estava agora trocando as dela. Com a nova abordagem de Adele, sua mãe foi capaz de receber o amor de sua filha através de suas palavras de afirmação, o presente do chocolate e o tempo de qualidade que passavam juntas.

* * * * *

Quando a DA afeta o lobo parietal, impulsos sensoriais em excesso podem ser perturbadores para uma pessoa com demência. Ed disse:

— Com Rebecca, a maior parte do toque acontece à noite, quando ela vai para a cama e se aninha debaixo das cobertas. Ela está deitada no seu travesseiro e penso que ela se sente segura quando está aninhada na cama. As luzes são fracas e esse é o momento em que ela está receptiva a algum abraço e um beijo gentil. Mas se eu apareço depois do trabalho e digo: "Oi! Como você está?" e me aproximo dela por trás e tento lhe dar um beijo, ela será fortemente repelida por isso, vai se afastar fisicamente e dizer: "Não, não!". Mas se eu me sentar diante dela e garantir que ela pode me ver e escutar, então posso realmente abraçá-la e oferecer um beijo, ou dois ou três, e normalmente ela vai sorrir ou rir ao receber meu afeto.

No estágio avançado da DA, as pessoas experimentam a vida basicamente por meio de seus cinco sentidos. "O toque pode [...] ser a única maneira de um paciente com demência identificar que está recebendo atenção e reconhecimento dos outros, o que pode melhorar sua autoestima e senso de bem-estar", de acordo com os autores de um artigo da *Maturitas* de 2014 sobre os sentidos e a demência.[16]

LINGUAGEM DE AMOR: *TOQUE FÍSICO*	
Demonstre amor	**Evite**
Estágio inicial da DA: A proximidade física diz à PCD em um nível emocional: "você não está só".	Para preservar a dignidade e o pudor da PCD, se possível, não envolva membros da família nas atividades de banheiro, troca de fraldas e banho. Em vez disso, faça com que cuidadores do mesmo sexo pagos ou voluntários se encarreguem desse cuidado tão pessoal.
Respeite as preferências culturais quanto a toque físico, contato visual e espaço pessoal.	
Estágio intermediário e avançado da DA: Receber muitos abraços em uma reunião de família pode ser estimulante demais, fazendo com que a PCD se retire ou se fique agitada (por isso, visitas individuais podem funcionar melhor do que visitas em grupo). Combinar o toque com outros estímulos, como música, também pode criar uma sobrecarga sensorial.	Não se esqueça de avaliar a dor. Se uma PCD está sentindo dor que não consegue descrever, como dor nas costas ou dor de cabeça, sua resposta ao toque do outro pode mudar.
No final da vida, um toque terno, como acariciar a bochecha do ente querido, transmite amor.	

MOMENTOS DE QUALIDADE (TEMPO DE QUALIDADE)

Entre os estágios intermediário e avançado da DA é bom pensar em termos de criar um *momento de qualidade* em vez de compartilhar *tempo de qualidade*. O novo enquadramento é mais preciso porque a vida é cada vez mais experimentada em *momentos* que sobrevivem apenas brevemente e então evaporam como uma névoa. Não há lembrança do passado e nenhuma expectativa do futuro; existe apenas o momento presente. No ciclo do tempo, uma conexão de qualidade pode ocorrer em um momento, enquanto que o tempo de qualidade acontece no decorrer de minutos, horas ou até mesmo dias, dependendo da atividade ou da circunstância. Ed disse:

— Como parceiro de cuidado, você precisa se adaptar. O foco se torna "como posso mostrar meu amor por essa pessoa, ciente de que estamos sempre no momento?".

Em seu livro *Creating moments of joy* [Criando momentos de alegria], Jolene Brackey escreveu:

> Não somos capazes de criar um dia perfeitamente maravilhoso para aqueles que têm demência, mas é certamente alcançável criar momentos perfeitamente maravilhosos — momentos que colocam sorrisos na face, um brilho nos olhos, ou que despertam lembranças. Cinco minutos depois, a pessoa não vai se lembrar do que você fez, mas o sentimento que você deixou com ela vai perdurar.[17]

Considerações especiais

Momentos de qualidade podem de fato ajudar a prolongar a vida de uma PCD. Ed disse:

— Um fator que causa aceleração na jornada da demência é o isolamento social. Quando alguém assiste a um filme com Rebecca ou pinta com ela, esse envolvimento social é significativo.

LINGUAGEM DE AMOR: *MOMENTOS DE QUALIDADE* *(TEMPO DE QUALIDADE)*	
Demonstre amor	**Evite**
Estágio inicial da DA: Habilidades aprendidas há muito tempo, como dançar e tocar piano, são armazenadas profundamente no cérebro e retidas por um longo tempo. Essas habilidades oferecem oportunidades para compartilhar momentos de qualidade. Aproveite os talentos da PCD pelo maior tempo possível! **Estágio intermediário e avançado da DA:** Junte-se à pessoa naquilo que ela estiver fazendo, mesmo que isso signifique pegar gravetos no quintal ou colorir. A música dos anos de adolescência ou juventude da pessoa pode proporcionar conforto e prazer especiais. Agitação ou inquietação no início da noite (pôr do sol) pode impedir você de desfrutar da companhia um do outro, por exemplo, assistindo TV juntos. Ficar com a PCD durante o pôr do sol permite que ela saiba que não está sozinha em seu sofrimento.	Não deixe de responder perguntas difíceis da PCD. Embora a verdade seja triste, pode levar a uma conexão emocional mais profunda. Seja paciente se precisar responder às mesmas perguntas várias vezes. Para a PCD, a pergunta é nova a cada vez.

Pode-se notar como ela gosta de colorir junto com outra pessoa. Suas cuidadoras profissionais pintam junto com ela provavelmente de duas a três horas por dia.

* * * * *

Um parceiro de cuidado relembra:

— Quando minha esposa via um comercial de TV sobre o Alzheimer, ela demonstrava consciência suficiente para fazer perguntas difíceis: "O que vai acontecer comigo?", "Você vai me deixar?". Ela fazia essas perguntas muitas e muitas vezes. Era difícil responder, mas eu era honesto com ela. Eu lhe disse: "Sim, é com isso que estamos lidando, mas vai ficar tudo bem. Vamos passar por isso juntos". Na maioria das vezes essas conversas aconteciam quando estávamos na cama e prestes a dormir, de modo que chorávamos até dormir, segurando um ao outro.

Esse tipo de momento de qualidade íntimo é muito mais profundo do que uma simples experiência compartilhada. Essa é uma conexão de alma. *Hesed*: eu estou com você.

RECEBER PRESENTES

A dra. Hugenschmidt destacou:

— Os presentes que uma pessoa quer, ou aquilo que constitui um presente para ela, vão mudar à medida que sua função se alterar.

Considerações especiais

Gary escreveu no capítulo 5 de *As 5 linguagens do amor*: "A presença física no momento de crise é o presente mais poderoso que você pode dar a seu cônjuge se a linguagem do amor primária dele for presentes".[18] O diagnóstico da doença de Alzheimer é certamente uma crise para qualquer indivíduo. Para uma pessoa recém-diagnosticada, seja qual for sua linguagem do amor, não existe presente intangível mais precioso do que a garantia de um cônjuge de que este pretende cumprir o voto conjugal. Em especial a parte que diz: "na saúde e na doença".

LINGUAGEM DE AMOR: *RECEBER PRESENTES*	
Demonstre amor	**Evite**
Estágio inicial da DA: Alguns *sites* podem ajudar indicando presentes apropriados para pessoas neste estágio de DA.	Não espere o mesmo apreço por presentes que a pessoa pode ter demonstrado anteriormente. No estágio avançado de DA, muitas pessoas têm dificuldade em reconhecer objetos que a poderiam ter encantado como presentes em anos passados.
Alguns presentes que melhoram o relacionamento podem proporcionar experiências compartilhadas: CDs de música, filmes em DVD, livros para colorir, quebra-cabeças de 50 a 500 peças.	Não dê:
Estágio intermediário e avançado da DA: Alguns *sites* podem ajudar indicando presentes apropriados para pessoas neste estágio de DA.	• Líquidos, como loções ou perfumes, que podem parecer bebida.
Presentes materiais não são mais importantes. A comida ou guloseima favorita pode ser mais apreciada.	• Filmes longos, palavras-cruzadas difíceis ou romances.
Um tocador de MP3 carregado com músicas é um dos presentes mais impactantes de todos.	

CADA DIA É O MELHOR DIA

* * * * *

Presentes tangíveis são mais apreciados no início da DA. Mais tarde, os presentes materiais não significam muita coisa. Mimos como um pedaço de chocolate, como no caso da mãe de Adele, são presentes mais adequados para o final da jornada. Ed diz:

— Para Rebecca, uma casquinha de sorvete é como o presente dos presentes. Ela ama aquela casquinha de sorvete. Ela sorri e dá risadas. Às vezes o momento principal do meu dia é vê-la reagir a esse presente.

Antes da DA, diz ele, de todas as linguagens do amor, receber um presente de qualquer tipo era a menos significativa para Rebecca.

* * * * *

Às vezes, como no caso de Ed e a história do sorvete, aquele que dá o presente experimenta tanta alegria quanto a pessoa que o recebe. Isso também foi verdade para Troy, quando ele, de maneira prudente, deu um presente especial a Danielle, sua esposa, unicamente para benefício emocional dela.

Como Troy não está nem perto da idade de se aposentar, ele precisa continuar trabalhando. Para não ter que colocar Danielle em uma clínica, ele a inscreveu em um centro de atendimento, uma espécie de creche para adultos. Danielle estava receosa de ir para lá até que Troy lhe disse:

— Este é o seu trabalho. Agora você trabalha aqui.

Ele deu duas notas de 20 dólares para a cuidadora do centro e a instruiu para que "pagasse" Danielle no final da semana.

No "dia do pagamento", lembra-se Troy, Danielle saiu e disse:

— Isso é tudo o que ganho por trabalhar aqui! Não é suficiente!

Troy ficou surpreso mas disse:

— Oh, querida, sinto muito. Talvez possamos falar com alguém para lhe dar um aumento.

Ele conta que, na semana seguinte, conseguiu 40 notas de 1 dólar e as colocou em um envelope. Quando Danielle saiu, perguntou a ela:

— Eles pagaram você hoje?

Ela respondeu que "sim!", mostrando a Troy todos aqueles dólares, mas como ela não conseguia contar dinheiro, ele reagiu assim:

— Uau! Você ganhou um monte de dinheiro hoje, não é?

Ela concordou. Então Troy pegou o dinheiro de volta e o entregou no centro para a semana seguinte.

ATOS DE BONDADE (ATOS DE SERVIÇO)

Normalmente pensamos em um "ato de serviço" como algo de utilidade feito para aliviar a carga de outra pessoa, com o esforço apreciado pela pessoa atendida a ponto de ela se sentir amada. Apesar de os parceiros de cuidado realizarem incontáveis atos de serviço para a pessoa com DA — dar medicamentos, ajudar a se vestir, etc. — a PCD provavelmente não vai apreciar o esforço e nem vai percebê-lo como amor. A dra. Williams disse que, para pessoas com demência, a linguagem de *atos de serviço* pode ser redefinida "de uma nova maneira, para incluir a preservação da individualidade e a identidade". No capítulo 2, os atos de serviço de Sally por seu marido incluíam conseguir que ele realizasse tarefas como "aparar" a grama do jardim e levar seu cachorro para passear, o que fazia com que ele se sentisse útil. A dra. Williams descreveu o esforço de Sally em favor de seu marido como "um ato de bondade".

LINGUAGEM DE AMOR: *ATOS DE BONDADE* (*ATOS DE SERVIÇO*)	
Demonstre amor	**Evite**
Estágio inicial da DA: Esteja ciente de que os *atos de serviço* podem lembrar uma PCD de sua própria incapacidade de expressar amor através de um ato de serviço, como preparar uma refeição.	Não desencoraje uma PCD que queira ajudar. Encontre pequenas tárefas que ela possa fazer, como dobrar toalhas ou "lavar" pratos, para que ela sinta que está realmente ajudando.
Estágio intermediário e avançado da DA: Perceba que fazer atos de serviço para uma PCD não transmitirá o mesmo significado que tinha no passado. Procure fazer *atos de bondade* em vez de atos de serviço.	Sempre que possível, faça *com* a PCD e não *para* ela.

ESTÁGIOS INTERMEDIÁRIO E AVANÇADO DA DA: FALANDO TODAS AS LINGUAGENS DO AMOR

Em *As 5 linguagens do amor das crianças*, Gary e o coautor Ross Campbell sugerem que, embora os pais devam tentar identificar a linguagem do amor primária de seu filho, eles também devem deliberadamente falar todas as cinco linguagens do amor com o filho. Eles dizem: "Sim, acreditamos que seu filho tem uma melhor percepção do amor através de uma das cinco linguagens, mas as outras quatro maneiras de mostrar seu amor também lhe trarão benefício".[19]

Nos estágios intermediário e avançado da DA, as pessoas se tornam mais semelhantes a crianças. Ed se lembra:

— Certa vez, quando Carrie, nossa filha mais nova, estava em casa, ela passou uma tarde com Rebecca e então colocou sua mãe na cama para dormir. Rebecca olhou para Carrie e disse: "Foi divertido brincar com as crianças grandes hoje".

Nesse estágio de sua doença, Rebecca estava claramente enxergando a vida a partir do ponto de vista de uma criança.

Pelo fato de as pessoas que estão entre os estágios intermediário e avançado da DA de fato regredirem para um estado mental mais infantil, sugerimos expressar amor a elas como se elas fossem, de fato, crianças. Seguindo o exemplo dos doutores Chapman e Campbell, recomendamos falar todas as cinco linguagens do amor com aqueles considerados como crianças por causa da demência. Também consideramos que essa seja uma abordagem prudente, uma vez que a linguagem do amor de uma pessoa pode mudar durante a doença. Quando nenhuma das linguagens do amor se destaca como primária, expressar amor de cinco maneiras diferentes apenas aumenta as chances de acertar o alvo!

Nosso amigo Troy faz um trabalho excelente ao falar todas as cinco linguagens para Danielle, sua mulher. Troy hoje vive com Danielle em uma unidade de tratamento de memória, mas ele costuma levá-la para sua antiga residência, que ele ainda mantém, para o "Dia da Danielle".

Anos antes de a DA surgir, Danielle e Troy escutaram alguém chamado Gary Chapman falar sobre um tópico do qual eles nunca haviam ouvido falar: as cinco linguagens do amor. Eles gostaram do seminário, compraram o livro e cada um deles fez o teste para determinar qual era sua linguagem do amor. A maioria dos casais tem linguagens do amor diferentes, mas as linguagens do amor primária e secundária, tanto de Danielle quando de Troy, eram as mesmas. *Tempo de qualidade* era a primária e *toque físico* era a secundária para ambos. No "Dia da Danielle", Troy continua a falar ainda hoje *tempo de qualidade*

CADA DIA É O MELHOR DIA

e *toque físico* para Danielle e a inunda de generosas doses das outras três linguagens também.

— Nosso Dia da Danielle consiste de eu mimar e amar Danielle. Levo-a para casa e preparo algumas comidas que ela gosta de beliscar, dou comida a ela e conversamos sobre algumas coisas. Praticamente a cada minuto digo a ela que a amo. Então, dou-lhe banho e a arrumo. Coloco loção em seus pés e mãos e um pano quente em seu rosto. Ela fica tão em paz enquanto tudo isso acontece. Ela simplesmente relaxa e se senta. Então passo creme em seu rosto e depilo suas pernas. Faço uma massagem de corpo inteiro nela, simplesmente amando-a. Depois preparo uma refeição. É a hora em que nos sentamos juntos e ela simplesmente olha para mim e dá um grande sorriso. Sabe, é amor o dia inteiro.

Se você cuida de uma pessoa que está bastante afetada ou não é mais verbal, sua melhor chance de saber o que a faz se sentir amada *neste momento* pode ser observar seu comportamento e suas preferências atuais. Isso exige muita suposição, mas ao reavaliar periodicamente, você pode ser capaz de reconhecer continuamente a melhor maneira de expressar amor a ela no momento. Em qualquer momento da metade final da doença, ou em qualquer momento quando nenhuma linguagem do amor surge como primária, oferecemos a lista apresentada no Apêndice A como um criativo ponto de partida para falar todas as cinco linguagens do amor.

5

Facilitação do amor

Não há nada mais belo do que uma pessoa
que faz mais do que o esperado para tornar
mais bela a vida dos outros.

MANDY HALE

Na ordem natural das coisas, expressões de amor recompensam tanto o doador quanto o receptor. Quando outros expressam amor a nós em nossa "língua nativa" (nossa linguagem do amor), nosso tanque emocional de amor começa a se encher e a vida se torna boa. Quando nos dirigimos às outras pessoas da mesma maneira, com expressões de amor planejadas exclusivamente para elas, sentimo-nos bem por aquilo que fazemos e, se a outra pessoa responder com apreciação, surpresa ou prazer, sentimo-nos ainda melhores, porque a reação delas recompensa nosso esforço. Quando o amor é falado nas linguagens do amor apropriadas e flui livremente em ambas as direções, o ato de dar amor é tão recompensador quanto o de receber. De fato, os seres humanos têm uma constituição nata que permite que eles desfrutem desse tipo de amor recíproco.

> Na ordem natural das coisas, expressões de amor recompensam tanto o doador quanto o receptor.

A RECOMPENSA NATURAL POR MOSTRAR AMOR AOS OUTROS

Quando notamos que nosso gesto amoroso causou um impacto na outra pessoa da maneira como esperávamos, tal consciência dispara a liberação da substância do "bem-estar" chamada dopamina, vinda dos neurônios especiais do sistema de recompensa do cérebro. Essa recompensa natural nos motiva a repetir o que quer que tenhamos feito. Quanto mais percebemos que nossas expressões de amor são significativas para as outras pessoas, mais recompensados nos sentimos e mais vontade temos de continuar a mostrar amor.

A dra. Christina Hugenschmidt diz:

— Em termos de nossa linguagem do amor, é qualquer coisa que você considere recompensadora. O que deixa você animado, por exemplo, em relação a dar um presente, é ver a face da pessoa se iluminar. A reação da outra pessoa ao presente é a recompensa.

(Seríamos negligentes se não destacássemos que é justamente a *ausência* de tais respostas das pessoas com demência que faz com que o amor altruísta *hesed* se mostre ainda mais impressionante nos parceiros de cuidado.)

Até que os principais componentes do sistema de recompensa do cérebro sejam prejudicados pela DA, as pessoas permanecem capazes de experimentar a satisfação e a alegria que vêm de se expressar amor aos outros. O problema é que, embora tenham a capacidade de *desfrutar* a recompensa que vem de dirigir-se aos outros, as pessoas são cada vez mais desafiadas em sua capacidade de *iniciar* expressões de amor. Elas se tornam incapazes de se lembrar da sequência de tarefas que leva à recompensa e são cada vez mais incapazes de realizar tal tarefa. Com o propósito de expressar amor a alguém, a pessoa com

DA precisa da ajuda de um *facilitador*, alguém que esteja motivado a se envolver e ajudar.

A FACILITAÇÃO PARA PESSOAS COM DEMÊNCIA

O Programa de Aconselhamento de Memória que Ed fundou inclui um grupo de "Treinamento do Cérebro" para pessoas com demência. O Treinamento do Cérebro fornece estimulação cognitiva e emocional por meio de envolvimento social, artes, músicas, jogos interativos e dança. Os facilitadores ajudam as pessoas com demência a se envolver em atividades criativas que melhoram sua qualidade de vida. Às vezes isso envolve uma das linguagens do amor. Considere os exemplos apresentados a seguir.

Em um dos grupos de Treinamento do Cérebro a atividade era pintar, de modo que os facilitadores traziam flores para que os participantes tivessem algo para pintar. Depois disso, os membros do grupo eram informados de que poderiam dar uma flor para seu parceiro de cuidado quando essa pessoa chegasse para pegá-los. Quando Sandra, a esposa de Aaron, chegou, ele pegou o maço de flores com entusiasmo e deu a ela. Sandra, naturalmente, percebeu que todas aquelas flores não eram para ela. A dra. Hugenschmidt, líder do grupo, relembra:

— Ela se sentiu estranha em relação àquilo. Mas dissemos: "Por favor, aceite, pois isso o deixou muito feliz". Os outros parceiros de cuidado também estavam dizendo: "Pegue as flores!". Aaron ficou muito animado por dar alguma coisa para sua esposa, algo que ele não era capaz de fazer por si só. Talvez ele tivesse tido o desejo de dar algumas flores para Sandra em outras situações, mas ele não consegue dirigir, não é mais capaz de planejar e tem dificuldade para dar início a alguma coisa. Mas quando as flores estavam bem ali e alguém disse: "Você pode

FACILITAÇÃO DO AMOR

dar essas flores para Sandra", sua face se iluminou! Penso que uma parte do sentimento de alegria por fazer aquilo se originou no fato de que ele sentiu que havia feito algo sozinho, porque aquilo havia acontecido fora do âmbito de sua conexão com Sandra. Sua esposa não o levara até a floricultura para comprar flores; ele estava com o grupo dele e tinha flores para dar quando ela entrou na sala. Isso foi realmente importante para ele.

A dra. Hugenschmidt continuou:

— Quando existe um parceiro de cuidado não primário para facilitar, a pessoa com DA pode ter esse sentimento de independência e experimentar a recompensa da surpresa. Caso contrário, o parceiro de cuidado precisa ajudá-la a obter o presente, e penso que isso seja desapontador para o parceiro de cuidado e para a pessoa com demência. É semelhante à situação de uma mãe solteira cujo filho quer fazer alguma coisa para o aniversário dela. Como isso pode acontecer? Em muitas situações, é outra pessoa da família ou um amigo que reconhece a situação, leva a criança a uma loja e a ajuda a escolher um presente de modo que possa ter a alegria de ser capaz de surpreender a pessoa a quem a criança ama.

* * * * *

Os líderes do Treinamento do Cérebro perceberam que vários participantes do grupo têm problemas para se expressar por meio da linguagem. Quando uma pessoa não é verbalmente expressiva, é mais fácil presumir que ela não é capaz de responder aos esforços de um facilitador. A dra. Hugenschmidt diz:

— Muitas pessoas presumem erradamente que uma incapacidade de expressar é o mesmo que uma incapacidade de receber. Isso não é necessariamente o que acontece. Paula, uma de nossas participantes, tem muitos problemas com a expressão. Ela era poetisa e fazia declamações. Mal posso imaginar como é ser tão fluente com as palavras e, de repente, não ser mais capaz de gerá-las. Como grupo, escrevemos um haikai (uma pequena poesia de origem japonesa) e pedimos que ela fosse a leitora. Nós a escolhemos porque ela consegue ler e consegue dizer as palavras que lê, mas simplesmente não consegue gerar palavras por si só. Ler o haikai para o grupo deu a ela uma oportunidade de ser expressiva sem ter de ela própria gerar as palavras. Ela aparentava gostar realmente de fazer aquilo.

Tendo sido poetisa na fase anterior à demência, não é difícil entender por que ler o haikai foi um ato recompensador para Paula. Contudo, ela não poderia ter criado essa oportunidade de leitura por si mesma. A oportunidade precisou ser criada para ela e facilitada pela liderança do grupo. A dra. Hugenschmidt destacou:

— Se você fosse o parceiro de cuidado de Paula, talvez subestimasse o que ela pode fazer ou o que pode entender ou com o que se envolver, porque ela não consegue dizer-lhe de maneira verbal. Se a linguagem do amor primária dela fosse *palavras de afirmação*, seria um erro parar de falar com ela, pois ela ainda é plenamente capaz de receber palavras.

* * * * *

Os autores do livro *The 36-Hour Day* [O dia de 36 horas] escreveram que *"muito pode ser feito para melhorar a qualidade de vida de pessoas com demência e os membros de sua família"* [ênfase no original].[1] Facilitar atividades que encorajam a autoexpressão é uma maneira de melhorar a qualidade de vida de pessoas com demência. A autoexpressão aumenta a autoeficácia, a convicção que uma pessoa tem em sua própria capacidade de completar tarefas e alcançar objetivos. Uma vez que as habilidades das pessoas com demência estão constantemente declinando, facilitar as coisas que elas ainda conseguem fazer aumenta a autoeficácia.

Diz a dra. Hugenschmidt:

— Uma coisa que percebemos no Treinamento do Cérebro é que as habilidades das pessoas deterioram muito no âmbito do planejamento e da lembrança ou na capacidade de iniciar alguma coisa. No caso de Hannah, uma pintora, vimos a deterioração muito clara dessas coisas. Mas ela ainda gosta de pintar. A única questão é que a infraestrutura necessária para que ela pinte agora é diferente. Ela costumava comprar suas tintas e telas, escolhia o que queria pintar, pegava o carro, dirigia até um local para ficar com as amigas e pintava em grupo. Hoje, alguém precisa comprar os materiais para ela. É preciso apresentar-lhe um modelo e, às vezes, precisa colocar o pincel na mão dela e colocar as tintas na sua frente. Mas quando se faz isso, ela ainda pinta e ainda gosta de fazê-lo.

E a dra. Hugenschmidt continua:

— Penso que a incapacidade de iniciar pode ser interpretada como uma perda de função, quando tudo o que é realmente necessário é apenas um facilitador: alguém que tenha o tempo, a energia e a paciência de se envolver e preencher os espaços, entendendo que a paixão original ou o prazer ainda estão ali, mas a pessoa não consegue agir em relação a isso sem ajuda.

A FACILITAÇÃO LIGADA A PRESENTES E ATOS DE SERVIÇO

Pelo fato de as funções executivas de planejamento, iniciativa e sequência terem se perdido no início da DA, as linguagens do amor que mais exigem essas habilidades — dar presentes e realizar atos de serviço — são as primeiras expressões de amor prejudicadas pela doença. Conforme ilustrado pela história de Aaron e as flores, a capacidade da pessoa para dar presentes pode ser prolongada apenas com a ajuda de um facilitador. A capacidade de realizar atos de serviço também pode ser prolongada com a ajuda de um facilitador se o foco estiver na autoeficácia que é gerada ao realizar tarefas, em vez de na qualidade do trabalho. Sarah, por exemplo, disse que seu marido sempre quer ajudar:

— Assim, no cuidado com a roupa hoje, deixei que ele dobrasse as toalhas. Elas não foram dobradas muito bem e ele as coloca no armário de qualquer maneira, contanto que ele consiga enfiar todas na prateleira.

Muitas pessoas parecem reter um forte desejo de continuar a expressar essas duas linguagens do amor em particular mesmo bastante tempo depois de sua capacidade de fazê-lo ter desaparecido.

O DESEJO DE CONTINUAR A PRESENTEAR

A dra. Hugenschmidt disse:

— As pessoas que são realmente motivadas a dar presentes ainda dão presentes. A única questão é que os presentes são bem menos apropriados. Sem facilitação, dar presentes às vezes pode causar muita tristeza para o parceiro de cuidado, porque este vê que a pessoa ainda o ama e está de fato tentando. Só que a tentativa é um fracasso.

(Pode ser útil para os parceiros de cuidado pensarem no presente dado por uma PCD como se fosse o presente de uma criança pequena, concentrando-se mais na intenção do doador do que no presente em si.)

FACILITAÇÃO DO AMOR

Embora permaneçam motivadas a dar, as pessoas com demência realmente não têm muito a dar. Uma das únicas coisas que elas realmente *conseguem* dar é a comida que elas "possuem". Quando estava no ponto mais inicial de sua doença, certa vez Rebecca Shaw partiu um pedaço de taco mexicano que estava na salada que ela estava comendo, deu-o a Ed e disse:

— Isto é para você.

Ed reconheceu imediatamente que aquilo era um presente. Diz a dra. Julie Williams:

— Muitos indivíduos que estão começando a entrar na fase da desinibição de sua doença querem compartilhar sua comida do hospital com os médicos, enfermeiros ou estudantes de medicina. Eles dizem: "Este é um doce de banana muito bom, mas estou farto. Você não quer ficar com o resto?". Ou "Já peguei algumas uvas. Sirva-se à vontade!".

Esse desejo de continuar dando pode persistir por muito tempo durante a doença. A dra. Williams disse:

— No hospital, alguém que esteja em estágio bem avançado da doença mas ainda é minimamente verbal pode pegar um objeto que esteja ao alcance, um utensílio, um item, uma comida ou uma revista e dar a um visitante. A pessoa que recebe normalmente não faz ideia do que está acontecendo e pode dizer: "Por que você está me dando isso?", mas alguém compreensivo vai dizer: "Muito obrigado. Gostei disso. Vou colocar bem aqui".

O DESEJO DE CONTINUAR A SERVIR

Algumas pessoas cuja linguagem do amor antes da demência era *atos de serviço* têm um forte desejo de continuar a servir os outros, mesmo enquanto sua doença continua avançando. Rebecca Shaw é uma dessas pessoas. Ed diz:

— Rebecca cresceu sem ter uma máquina de lavar louças em casa e prefere lavar a louça à mão. Mesmo depois que lhe demos uma lavadora, ela costumava a lavar com as mãos. Depois do jantar, ou eu ou uma das cuidadoras a ajudamos a levar a louça até a pia onde ela "lava a louça". Ela realmente não é capaz de lavá-la de uma maneira que a deixe pronta para o uso; por isso, depois que ela vai para a cama, nós colocamos tudo na máquina. Rebecca reteve seu desejo de servir sua família com o último ato de serviço que ela ainda é capaz de realizar, que é lavar a louça.

O desejo de Rebecca de lavar a louça continua em ação mesmo quando ela não está em casa. Certa manhã, Ed, Rebecca e quatro componentes da "Equipe A" (suas cuidadoras pagas) foram a um restaurante para jantar. Depois da refeição, Rebecca pegou seu prato vazio, levantou-se da mesa e foi para a cozinha do restaurante, provavelmente para ajudar com a louça! Ed e as cuidadoras precisaram segui-la e convencê-la a abandonar sua missão.

Sarah relembra que, nos primeiros anos de seu casamento, Bob sempre queria ajudar. Agora, apesar de não ser mais capaz de ajudar, ele ainda deseja dar sua contribuição. Sarah diz:

— Quando estou na cozinha, preparando o jantar, ele diz "estou aqui sentado sem fazer nada e você está fazendo todo o trabalho. Eu deveria ajudar você". Ele me diz isso provavelmente três ou quatro vezes durante a preparação do jantar. Penso que esse é o jeito dele de demonstrar amor.

Katia, a filha de Sarah e Bob, também reconhece que o desejo do pai é continuar a mostrar amor por meio de *atos de serviço*, apesar de sua incapacidade de realmente fazê-lo. Contudo, facilitar a realização de um ato de serviço para seu pai nem sempre é conveniente. Katia explicou:

— Papai queria ajudar com a louça uma noite dessas. Às vezes sinto que ele é como um menino, do mesmo modo como nossos filhos pequenos tentam ajudar você a fazer alguma coisa e é mais fácil dizer "deixe que eu faço". Foi isso o que fiz na noite passada. Ele simplesmente ficou ali. Precisei apenas dar a louça para ele e deixar que ele a colocasse na lavadora, e tudo ficou bem.

Olhando para trás, ela disse:

— Percebo que, para manter cheio o tanque emocional dele, por mais difícil que possa ser, eu devo deixá-lo ajudar, porque é isso o que o mantém feliz.

FACILITAÇÃO LIGADA A TEMPO DE QUALIDADE, TOQUE E PALAVRAS

Como mostram os exemplos do Treinamento do Cérebro relacionados a pintura e leitura de poemas, a facilitação para as pessoas com demência pode capacitá-las a continuar a fazer algo de que elas gostam depois de terem perdido a habilidade de fazer aquilo por conta própria. De maneira similar, uma pessoa com demência pode continuar a experimentando e expressando as linguagens de amor de *tempo de qualidade, toque físico* e *palavras de afirmação* por mais tempo se um facilitador estiver disposto a participar juntamente com a pessoa. O toque fala simultaneamente à pessoa que realiza o toque e à pessoa que está sendo tocada. Ao pegar a mão de uma pessoa enquanto você fala, ou colocar seu braço em volta dela no cinema ou na igreja, você está não apenas falando a linguagem do amor, mas também facilitando sua expressão passiva, à medida que ambas as pessoas estão se tocando. Isso também é verdadeiro em relação a *tempo de qualidade*, pois tanto o facilitador quando a pessoa com demência estão vivenciando o tempo juntas, uma falando a linguagem do amor de forma ativa e a outra de forma passiva.

A dra. Hugenschmidt disse:

— Normalmente *tempo de qualidade* significa uma certa atividade para as pessoas, como ir ao cinema ou andar de bicicleta, mas se houver flexibilidade em relação à maneira como o tempo é gasto, a janela para experimentar *tempo de qualidade* permanecerá aberta por mais tempo.

Tanto para crianças pequenas quanto para pessoas com DA, prolongar *tempo de qualidade* costuma significar que o parceiro de cuidado deve estar disposto a repetir a mesma atividade muitas e muitas vezes. A dra. Hugenschmidt continuou:

— Com crianças de dois anos de idade, você vai ler o livro de histórias favorito várias e várias vezes. Pode não ser pessoalmente recompensador para você ler *Os três porquinhos* pela centésima vez, mas esse é o seu tempo de qualidade.

Ler um livro também facilita a proximidade física entre pai e filho, e permite que os dois compartilhem a experiência com *palavras*. O tempo de qualidade de Ed com Rebecca espelha essa experiência de pai e filho, exceto pelo fato de a experiência de *palavras* ser com letras de músicas e diálogos de filmes.

Ed disse:

— Rebecca é bastante avessa ao toque, mas quando assistimos a um DVD, ela permite que eu a toque. Às vezes envolvo meus braços nos dela. De vez em quando, ela até mesmo permite que eu segure sua mão, mas sempre estamos sentados no sofá com as pernas encostadas. *A noviça rebelde* é seu musical favorito. Penso que já o vi literalmente centenas de vezes. Essas noites de filmes permitem que o amor seja expresso através do

A FACILITAÇÃO DO AMOR POR MEIO DA MÚSICA

toque físico e do *tempo de qualidade*, fazendo juntos alguma coisa de que ambos gostam.

A FACILITAÇÃO DO AMOR POR MEIO DA MÚSICA

Henry Wadsworth Longfellow disse: "A música é a linguagem universal da humanidade". A música não é uma das cinco linguagens do amor, mas, tendo seu próprio sistema de notação, a música satisfaz plenamente a definição de *linguagem* encontrada em dicionários: "Qualquer meio sistemático de comunicar ideias ou sentimentos através de signos convencionais, sonoros, gráficos, gestuais, etc.".[2] Como o sr. Longfellow opinou, a música é a linguagem que ressoa de maneira singular para toda a humanidade.

Ao longo dos séculos e entre culturas, a música tem entretido, acalentado crianças, aprimorado comemorações e expressado os louvores daqueles que prestam culto. Em termos médicos, há muito se sabe que a música tem um impacto positivo na pressão sanguínea, no cortisol, na dopamina, na melatonina e nos níveis de oxigênio, além de ajudar a aliviar a depressão e a ansiedade. Agora, à medida que a epidemia do Alzheimer começa a crescer, o poder curador da música está ganhando nova atenção. Muitos estudos destacaram os efeitos terapêuticos da música sobre pacientes de Alzheimer, reduzindo fatores como agressão, ansiedade e agitação, ao mesmo tempo em que melhora o humor e o comportamento.[3, 4, 5, 6, 7] Pesquisas mais recentes sugerem enfaticamente que a música também pode melhorar a cognição. Linda Maguire, cantora de ópera com mestrado tanto em neurociência quanto em ciências de saúde e gerontologia, conduziu um estudo que mostrou "melhorias notáveis na cognição" depois que pessoas com DA cantaram várias de suas músicas selecionadas durante quatro meses. Maguire disse ao *Epoch Times*:

> A música dá aos pacientes de Alzheimer um senso de poder e posse. Eles não conseguem acompanhar a vida. Não conseguem acompanhar uma conversa. Não se lembram das pessoas... mas porque uma parte do cérebro que internaliza a música e marca o ritmo é particularmente bastante sadia nos pacientes com Alzheimer, eles conseguem acompanhar a música e lembrar-se dela, o que faz com que se sintam no controle.[8]

O canto ativa os dois lados do cérebro. Desfrutar da música em meio a um grupo envolve também as áreas visuais do cérebro. Assim, a música estimula muitos processos cognitivos ao mesmo tempo — de fato, mais do que qualquer outro estímulo conhecido, de acordo com o dr. Oliver Sacks, neurologista reconhecido mundialmente. Às vezes, apresentar a música a uma pessoa por meio de um tocador de MP3 com fones de ouvido produz uma resposta impressionante.

Milhares de pessoas se maravilharam diante do vídeo de um homem chamado Henry, um residente de uma casa de repouso por dez anos, que não se comunicava até que a música o fez "despertar". Você pode assistir o vídeo no YouTube buscando "Alive Inside Henry's Story" (em inglês, com opção de legendas em português). Quando lhe perguntaram: "O que a música faz para você?", Henry responde: "Ela me dá o sentimento do amor". O vídeo sobre Henry é um excerto de *Alive Inside*, um documentário tocante que ganhou o Audience Award do Festival Sundance de Cinema de 2014.

Dan Schmid, blogueiro de produtos ligados ao Alzheimer, escreveu: "Às vezes a música produz uma mudança tão maravilhosa que nos sentimos totalmente compelidos a recomendar a você, como cuidador, que mantenha a música em seu repertório".[9] Pelo fato de a capacidade de apreciar a música durar tanto tempo, e uma vez que a resposta pode ser tão profunda, sugerimos colocar a música ao lado das linguagens do amor por toda a jornada do Alzheimer para uma melhor conexão pessoal com uma PCD.

Presentes

Um tocador de MP3 carregado com músicas dos anos da juventude da pessoa pode ser um dos melhores presentes a serem dados a uma pessoa com DA. A chamada música de "reminiscência" (da infância, da adolescência e do início da vida adulta da pessoa) tem maior probabilidade de ressoar profundamente. Do início até a fase intermediária da DA, escolha músicas das quais a pessoa gostava quando estava na fase de jovem adulto (dos 18 aos 25 anos). À medida que a pessoa regredir para um estado mais infantil, coloque no tocador músicas a serem cantadas em conjunto e outras músicas para crianças. Procure encontrar músicas no idioma que a pessoa falava na infância. Observe a reação da pessoa à música. Se uma determinada canção estimula alegria, mantenha-a; se causar tristeza ou agitação, apague-a.

Palavras de afirmação (letras)

É surpreendente, embora verdadeiro, que pessoas com DA moderada ou severa costumam ser capazes de aprender novas letras de músicas ou de cantar com precisão aquelas que aprenderam muito tempo atrás. Essa capacidade normalmente perdura até fases avançadas da doença porque a memória musical não é impactada de maneira significativa pela DA. Um exemplo inspirador é o cantor norte-americano de música *country* Glen Campbell, que completou uma turnê de concertos que durou 15 meses, composta por 151 shows, à medida que sua DA progredia. Esta última turnê de sua carreira foi narrada no documentário de 2011 da CNN Films intitulado "I'll be me".

Toque físico

A música convida ao bater dos pés, das mãos e ao toque. Enquanto a pessoa for capaz de andar, ela consegue se balançar de acordo com a música apoiando-se em outra pessoa ou até mesmo dançar com ela. Se a música evocar lembranças dos dias de namoro de um casal, dançar juntos pode inspirar alguns abraços, segurar das mãos e beijos também. O prazer da música aliado ao toque pode facilitar a intimidade relacional.

Tempo de qualidade

A música que incentiva a socialização divertida pode criar tempo de qualidade ou pelo menos momentos de qualidade. A terapeuta musical Loretta Quinn recomenda canções que levem ao movimento e à interação, afirmando que uma música assim "orienta a pessoa a olhar, rir e conversar com as pessoas em torno dela".[10] Esteja atento à possibilidade de superestimulação, tomando o cuidado de eliminar a competição barulhenta, como o som vindo de um televisor ou de um rádio.

Atos de serviço

Sempre que o amor é expresso ao se juntar música com uma das outras linguagens do amor, também há o envolvimento de *atos de serviço*, porque apresentar a música a uma PCD exige a participação de pelo menos uma outra pessoa.

A MÚSICA E A PARCERIA DE CUIDADO

O dr. Earl Henslin escreveu em *This is your brain on joy* [Este é seu cérebro alegre]: "Letras casadas com os sons da música tendem a contornar a parte do pensamento do cérebro e ir direto ao centro do humor".[11] Isso vale tanto para os parceiros de cuidado quanto para as pessoas com DA. A música pode fornecer alívio do estresse para os parceiros de cuidado. Além desse benefício pessoal de acalmar e produzir alegria, a música também pode desempenhar um papel ao ajudar os parceiros de cuidado a administrar o comportamento e o cuidado diário de uma pessoa com DA. Connie Tomaino, fundadora do Instituto para Música e Função Neurológica, contou a um repórter da AARP que, quando alguém está nos estágios iniciais da doença de Alzheimer, os parceiros de cuidado devem começar a associar músicas específicas a membros da família ou a ideias importantes. Mais adiante na doença, diz ela, tocar ou cantar essas canções pode disparar essa associação.

A autora do artigo da AARP, Mary Ellen Geist, escreveu sobre o tempo em que ela e sua mãe cuidavam de seu pai, que teve DA:

> Costumávamos usar música em todos os aspectos do cuidado. Eu cantava ou tocava a música de Frank Sinatra "In the Wee Small Hours of the Morning" para acordá-lo. Em vez de se sentir perdido e confuso nas manhãs, como costuma acontecer com pessoas que têm Alzheimer, a canção o fazia perceber onde estava e quem eram minha mãe e eu... Clássicos do *jazz* como a música "Summertime", de George Gershwin, e "Night and Day", de Cole Porter, eram ótimas para tomar banho, escovar os dentes e trocar de roupa. Eu usava as músicas para distraí-lo durante essas tarefas. Nas tardes, quando a chamada *síndrome do crepúsculo* às vezes ocorre, deixando os pacientes de Alzheimer ansiosos ou

irritados, a versão de Diana Krall da música "I Get Along Without You Very Well" o acalmava.[12]

A FACILITAÇÃO DO AMOR POR MEIO DO ACONSELHAMENTO

As pesquisas sugerem que quando um paciente de demência e seu parceiro de cuidado são aconselhados juntos, os resultados são melhores para as duas pessoas. De acordo com Mary Mittelman, professora e pesquisadora da Escola de Medicina da Universidade de Nova York, quando os cônjuges são tratados como iguais por um conselheiro, a comunicação entre eles melhora porque o cônjuge saudável deixa de desprezar o parceiro com DA e o cônjuge com DA deixa de se fechar emocionalmente.[13] Isso faz parte da lógica de se oferecer aconselhamento para as pessoas que lidam com a demência.

> Quando nos sentimos desconectados daqueles a quem amamos, experimentamos sofrimento, pânico e pesar, e naturalmente buscamos reconexão.

Quando a esposa de Ed foi diagnosticada com DA, a busca dele por apoio emocional abriu seus olhos para a pobreza de recursos disponíveis para a maioria das famílias. Em resposta a isso, ele fundou um programa de aconselhamento que atende quatro necessidades fundamentais dos clientes: "terapia da conversa" (psicoterapia), educação (psicoeducação), construção de relacionamentos e resolução de problemas. *Psicoterapia* significa falar frente a frente com um conselheiro ou com outras pessoas em um grupo de apoio. Essa "terapia da conversa" ajuda as pessoas a lidar com as emoções, preocupações e comportamentos que surgem durante a jornada do Alzheimer. A *psicoeducação* significa educar as pessoas sobre a demência e capacitá-las a lidar com sua situação da melhor maneira possível. Uma análise de 78 intervenções junto a parceiros de cuidado de adultos mais velhos descobriu que essas duas coisas — psicoeducação e psicoterapia — eram mais eficientes e constantes entre todos os resultados de curto prazo que foram mensurados.[14]

LIGAÇÃO E AS CINCO LINGUAGENS DO AMOR

Muitos dos desafios relacionais da DA acontecem porque a doença enfraquece os elos entre os entes queridos. Esses profundos elos naturais de relação começam no nascimento e continuam por toda a vida. Quando nos sentimos desconectados daqueles a quem amamos, experimentamos sofrimento, pânico e pesar, e naturalmente buscamos reconexão. À medida que o Alzheimer avança e as ligações entre os entes queridos enfraquecem, a PCD costuma reagir com medo, agitação ou até mesmo agressão. Os parceiros de cuidado podem reagir a eles com ira, frustração ou com isolamento. Isso cria divisão — exatamente o oposto daquilo que seu ente querido com demência precisa.

Ed disse:

— Entender a ligação é fundamental para poder aconselhar de maneira eficiente aqueles que estão na jornada da demência.

(Veja mais informações sobre "Ligação" no Apêndice B.)

ACONSELHAMENTO EM RELACIONAMENTOS E AS CINCO LINGUAGENS DO AMOR

As questões de relacionamento que resultam em discórdia entre parceiros conjugais, entre pais e seus filhos adultos ou entre irmãos ou outros membros da família estão entre os desafios mais comuns vistos no Programa de Aconselhamento de Memória. Para facilitar a construção de relacionamentos, Ed costuma tentar descobrir ou apresentar as linguagens do amor àqueles a quem aconselha. Ele disse:

— As cinco linguagens do amor são ferramentas de resolução de problemas que visam ajudar entes queridos a manter, fortalecer ou até mesmo restabelecer o maior número de conexões possível, apesar do fato de que essa doença, usando a metáfora da tapeçaria, está incessantemente esgarçando as ligações tão vitais para a identidade de uma pessoa como pai, irmão, cônjuge, filho adulto ou amigo. As cinco linguagens ajudam a construir intimidade relacional ao facilitar tanto a entrega quanto o recebimento de amor emocional.

Ed dá início ao processo de aconselhamento ouvindo a descrição que a PCD e seu(s) parceiro(s) de cuidado fazem a respeito de como a doença causou impacto em seus relacionamentos, individualmente, como casal e para a família toda. Isso leva várias sessões. Assim que os desafios relacionais estejam identificados, é importante que os clientes alcancem pelo menos uma compreensão básica das cinco linguagens do amor com o objetivo de utilizá-las como ferramentas para o crescimento e o desenvolvimento relacionais. Se a PCD estiver entre um comprometimento cognitivo brando e o estágio inicial do Alzheimer, reter informação sobre as linguagens do amor pode ser desafiador, em função da perda de memória de curto prazo. Nesse caso, Ed faz um inventário da linguagem do amor de maneira informal. Por meio de conversas, ele tenta descobrir as linguagens do amor primárias dos clientes: antes da demência, como a PCD expressava amor aos outros? Do que a pessoa mais se queixava, revelando desejos interiores não atendidos?

FACILITAÇÃO DO AMOR

Quais pedidos a pessoa fazia com mais frequência aos outros? A história de Frank e Shirley ilustra como Ed tem usado esse processo com casais em dificuldade.

Frank foi diagnosticado com estágio inicial de DA vários anos antes de ele e Shirley entrarem no programa de aconselhamento. Na época em que buscaram aconselhamento, eles já estavam afastados por "quilômetros de distância". Shirley fez o teste das cinco linguagens do amor e identificou *tempo de qualidade* como sua linguagem do amor primária. Com a ajuda dela, Frank também fez o teste e também identificou *tempo de qualidade* como sua linguagem do amor primária. Frank, um introvertido que adorava ler, não tinha consciência de que Shirley, uma extrovertida, estava se sentindo cada vez mais isolada, sozinha e não amada à medida que ele passava cada vez mais tempo todos os dias lendo e menos tempo com ela.

Como Ed costuma fazer ao aconselhar casais, ele pediu a Shirley e Frank que olhassem um para o outro enquanto Shirley compartilhava seus sentimentos. Frank admitiu que não fazia ideia de que Shirley estava se sentindo daquela maneira e pediu-lhe desculpas com lágrimas nos olhos. Com pouca memória de curto prazo, Frank simplesmente não conseguia se lembrar ou manter um registro de quanto tempo ele e Shirley haviam passado juntos em um dia. Ambos passaram a se sentir mais amados quando, por meio da facilitação gentil de Ed, Shirley aprendeu a se sentar ao lado de Frank enquanto ele lia, e Frank prontamente concordou em se juntar a Shirley nas tarefas ou nas atividades que realizavam na comunidade de aposentados.

Diferentemente da situação de Frank e Shirley, quando a linguagem do amor primária de uma PCD for mudada pela doença, surge uma situação mais desafiadora.

A FACILITAÇÃO DO AMOR DEPOIS DA MUDANÇA NAS LINGUAGENS DO AMOR

Quando a linguagem do amor natural da PCD mudou devido à progressão da doença, Ed guia o parceiro de cuidado a expressar amor usando quaisquer linguagens do amor que ainda sejam operacionais para a pessoa com demência. Essa resposta ao "alvo móvel" das linguagens do amor em mudança pode ser ilustrada usando a dança de salão como uma metáfora. O casal está dançando; a PCD conduz e o parceiro saudável adapta seus passos conforme a música — a doença —, que repetidamente exige que eles mudem a rotina ou, para os nossos propósitos, à medida que muda a linguagem do amor. A abordagem do "ame a pessoa onde ela estiver no momento" é a maneira como Ed trabalhou com Malik, cuja esposa, Aisha, experimentou uma mudança na linguagem do amor (capítulo 4). É sempre o parceiro de cuidado, não a pessoa com a doença, que deve fazer toda mudança e adaptação — mudando os "passos da dança" metafóricos do relacionamento amoroso.

A CONFRONTAÇÃO DA ILUSÃO DA INFIDELIDADE

Ed às vezes usa as linguagens do amor para abordar os problemas de relacionamento causados diretamente pela doença de Alzheimer. Foi assim que ele facilitou uma solução para Nick e Norma, um casal que lidava com uma ilusão paranoica de infidelidade conjugal.

Norma, que tem DA, foi assolada pela ilusão de que Nick, seu marido, era infiel a ela. Embora as ilusões normalmente só ocorram a partir do estágio intermediário ou avançado da DA, essa ilusão específica era incomumente importante para Norma

FACILITAÇÃO DO AMOR

já no início de sua doença. Às vezes, o simples fato de estar em uma reunião social com outros casais era suficiente para disparar sua suspeita de que Nick era infiel. Ela se preocupava constantemente que Nick encontrasse uma amante — ou que talvez já tivesse uma.

À medida que a doença de Norma progredia, Nick precisou da ajuda de uma cuidadora durante o dia. Norma ficou extremamente angustiada um dia quando viu Nick e sua cuidadora conversando, presumindo, é claro, que eles estavam envolvidos um com o outro. Nick era, e continua sendo, inocente da infidelidade que Norma havia imaginado por toda sua doença. Mas pelo fato de as ilusões parecerem reais para a pessoa que as experimenta, muito embora Norma e Nick tivessem um relacionamento com intimidade física, Norma se sentia insegura e não amada. Nenhuma quantidade de argumentação ou explicação da parte de Nick conseguia confortá-la. Essa foi a crise que os levou até Ed em busca de aconselhamento.

Embora o pensamento ilusório de Norma fosse gerado por sua demência, seu sentimento de que Nick não a amava não era totalmente destituído de mérito, como Ed descobriu:

— O que aprendi com os encontros com Norma era que *palavras de afirmação* era a linguagem número um para ela, e todas as outras linguagens do amor estavam num distante segundo lugar.

Ed reconheceu que a ilusão de Norma em relação à infidelidade foi piorada pelo fato de seu tanque emocional estar vazio. Ed disse o que acontecia depois de Norma e seu marido terem intimidade física:

— Nick simplesmente se levantava da cama e seguia para o próximo item de sua lista de coisas a fazer, sem nem mesmo dizer nada para ela. Norma desfrutava de muitos "momentos alegres" durante o tempo em que passavam juntos, mas ela não recebia nenhuma afirmação verbal de Nick durante ou depois do ato de amor. Ela concluiu que, na verdade, ele não a amava, uma vez que simplesmente ia embora. Isso criou nela aquilo que, de fato, em certo sentido, era uma ferida emocional aberta, ou seja, o sentimento de que ela e Nick não estavam ligados.

Ed continuou:

— A forma de curar aquela ferida foi ajudar Nick a entender que Norma precisava *ouvir* que era amada, e ela precisava ouvir isso no contexto do ato íntimo de amor. Ele estava completamente desligado do fato de que ela se sentia assim e estava claro que ele não entendia a linguagem do amor dela. O aconselhamento tornou Nick consciente do que, em primeiro lugar, é uma linguagem do amor e, depois, de qual era a linguagem do amor primária de Norma e como ele poderia "falar" essa linguagem em seu relacionamento.

— Isso foi de grande ajuda para eles — concluiu Ed. — Deixou de ser um problema para eles porque Nick tornou-se bastante intencional sobre a maneira de expressar amor para Norma, entendendo que ela precisava ser acariciada *com as palavras "eu amo você"* durante e depois do ato de amor. Ele também começou a afirmar verbalmente entre os momentos em que eles faziam amor.

FACILITAÇÃO DA UNIDADE

Pelo fato de muitos parceiros de cuidado não terem acesso a aconselhamento específico em demência, gostaríamos de compartilhar uma estratégia para lidar com o pensamento ilusório, a agitação ou outros comportamentos negativos. Essa estratégia, que Ed chama de *Reconhecer, Afirmar, Redirecionar*, é uma abordagem simples de três passos que dá aos parceiros de cuidado uma estratégia para desviar problemas potencialmente voláteis, como no caso da ilusão de infidelidade de Norma. Explicamos a seguir como a abordagem funciona.

Em um cenário hipotético semelhante ao apresentado acima, Dan, o paciente com DA, acusa Marian, sua esposa, de infidelidade. Sentindo-se ferida, Marian parte para cima de Dan, dizendo:

— Como você pode dizer que eu seria capaz de enganar você? Isso me ofende profundamente! Tenho sido fiel a você há 50 anos e você ousa pensar que eu poderia trai-lo... Não consigo nem mesmo ficar na mesma sala que você!

Mas se Marian, reconhecendo que *isso, na verdade, é a doença falando*, parasse por um instante para se recompor, poderia dizer algo mais ou menos assim:

— Dan, entendo que você está dizendo que está preocupado que eu esteja vendo outra pessoa. (Reconhecer)

— Bem, deixe-me tranquilizar você. Estamos casados há 50 anos. Tenho sido fiel a você por todos esses anos e não há nada que vá mudar isso. (Afirmar)

— Portanto, vamos sentar juntos no sofá, ligar a televisão e comer um pouco de pipoca. (Redirecionar)

RESPOSTAS ALTERNATIVAS

Reconhecer, Afirmar, Redirecionar se tornam ainda mais eficaz quando incorporam as linguagens do amor nas partes "Afirmar" e "Redirecionar" dessa estrutura. Se, por exemplo, Marian sabe que Dan é mais responsivo à linguagem do amor *presentes*, ela poderia estender sua mão, mostrar a aliança de casamento, e dizer:

— Veja minha aliança de casamento, Dan. Você a deu para mim. É um presente precioso. Eu nunca poderia trair você.

Se Dan responde melhor ao *toque físico*, Marian poderia pegar a mão dele, ou tocar em sua face, ou até mesmo abraçá-lo enquanto estiver falando. Se a linguagem do amor de Dan é *palavras de afirmação*, Marian poderia tranquilizar Dan, conforme apresentado nos exemplos acima, adicionando comentários como "fiz um voto junto com você e quando disse 'até que a morte nos separe', eu falei sério. Eu jamais desejaria estar com alguma outra pessoa que não você". Se Dan responde melhor a *tempo de qualidade*, o redirecionamento realizado por Marian no exemplo acima é um bom exemplo. Ela repele a situação com uma sugestão de passar um tempo de qualidade juntos, sentados, assistindo a televisão e desfrutando de um pouco de pipoca.

Outras possibilidades de redirecionamento seriam:

— Vamos pegar nosso álbum de casamento e eu lerei nossos votos para você. (Palavras de afirmação)

— Por que não usamos aquele vale-presente que as crianças nos deram no nosso aniversário e saímos para jantar? (Presentes)

— Que tal se você se sentar em sua cadeira favorita enquanto eu lhe faço uma massagem nos pés? (Toque físico)

Comece a cantar uma música que tenha sido significativa para a pessoa com demência ou para o relacionamento conjugal. (Música)

FACILITAÇÃO DA RECONEXÃO

Vamos voltar agora para a história de Malik e Aisha. Depois que Aisha foi diagnosticada com CCL, as tarefas de casa e a preparação de alimentos se tornaram cada vez mais difíceis para ela, então Malik assumiu a maioria dessas responsabilidades.

Uma vez que a linguagem do amor primária de Aisha era *atos de serviço*, fazer essas tarefas era algo bastante significativo para ela, e ela sentia falta de realizá-las. Com a ampliação do abismo emocional entre ela e Malik e com a crescente perda dessas atividades significativas, Aisha ficou deprimida. Quando a dor emocional se tornou grande demais, eles buscaram aconselhamento.

Como você deve lembrar, a capacidade cognitiva de Aisha mudou com o tempo, e o mesmo aconteceu com sua linguagem do amor. Agora que *toque físico* havia se tornado mais importante para Aisha que *atos de serviço*, Ed percebeu que *toque físico* era a maneira de facilitar a reconexão entre eles.

O toque de fato se tornou a "cola emocional" que os reconectou um ao outro. Quando o casal completou a tarefa de casa que Ed havia atribuído a eles em uma série de consultas de aconselhamento, Malik mais uma vez se aproximou de Aisha. Usando sua própria linguagem do amor primária do *toque*, segurou sua mão, aproximou-se dela e colocou o braço em volta dela. À medida que Aisha foi recobrando a confiança no amor de Malik, sua depressão se dissipou.

Quando o casal voltou para uma visita de acompanhamento, Malik disse a Ed:

— Nosso relacionamento continua melhorando. Agora deitamos perto um do outro quando vamos para a cama, olhando um para o outro. Ficamos de mãos dadas em todos os lugares aonde vamos. Aprendemos que apoiamos um ao outro, não apenas para dar firmeza ao outro, uma vez que nenhum dos dois tem firmeza nos pés, mas também emocionalmente.

Ao refletir sobre esse momento com Malik e Aisha, Ed disse que "foi uma doçura".

FACILITAÇÃO SOBRE OS PROBLEMAS FAMILIARES

Quando a PCD nega sua doença

Algumas pessoas vão sustentar com sinceridade e vigor que não têm demência. Michael declarou:

— Não há nada de errado com meu cérebro! Não entendo por que os médicos se sentem compelidos a me dar algum tipo de diagnóstico quando eu ocasionalmente esqueço o nome de alguém. Achava que isso era normal para alguém com 68 anos de idade!

Embora seja extremamente frustrante para todos os envolvidos, uma entre duas coisas normalmente explica uma reação como a de Michael. A demência costuma afetar a parte do cérebro que nos dá a percepção, a capacidade de entender uma situação ou uma condição. A falta de percepção explica por que algumas pessoas não ficam tristes ou iradas em relação à demência. Para outras, a percepção é preservada, razão pela qual muitas pessoas com a doença *ficam* deprimidas, ansiosas e/ou iradas quando elas de fato percebem que seu cérebro não funciona mais. Uma alternativa é que a pessoa com demência também pode estar em negação. Negar uma realidade dolorosa é uma maneira de sepultar a situação na mente inconsciente da pessoa.

Com um entendimento do "por que" por trás da declaração de Michael, sua esposa pode responder de maneira verdadeira, mas também com amor:

— Sinto muito, querido. Deve ser frustrante ouvir que você tem Alzheimer quando você não se vê em nenhum aspecto diferente de quem você era antes. Vamos passar por isso juntos.

Ed aconselha pacientes e familiares a não evitar dizer a "palavra com D" (demência) ou a "palavra com A" (Alzheimer).

Dizer essas palavras às pessoas ensina-lhes que podem expressar abertamente suas emoções sobre a doença.

Por que devo fazer uma visita se a pessoa não se lembra de mim?
Em uma sessão de aconselhamento familiar, uma filha de 28 anos de idade cuja mãe tem DA precoce e está internada na unidade de cuidado da memória (um local de assistência) disse a seu pai, com lágrimas nos olhos:

— Qual o propósito de visitar mamãe? Ela não vai se lembrar que estive ali e, além disso, ela nem sabe mais quem sou eu.

Ed responde a essa pergunta feita com muita frequência primeiramente reconhecendo os sentimentos envolvidos. Ele costuma dizer aos familiares:

— O simples fato de entrar em uma casa de repouso já é difícil. A visão e os cheiros podem gerar culpa quanto a ter colocado seu ente querido ali; os medos em relação ao seu próprio futuro podem influenciar.

A seguir, ele compartilha o conceito de *hesed*, o amor intencional. Visitamos porque é a coisa amorosa a fazer. Ele diz aos familiares:

— Muito embora a pessoa com demência provavelmente não seja capaz de se lembrar de quem você é ou de como conhece você, ela é plenamente capaz de receber o seu amor. Ao simplesmente fazer a opção de visitar, você deu o presente do seu tempo.

Ele dá os seguintes conselhos:

- Sente-se o mais próximo possível da pessoa amada.
- Segure as mãos ou coloque uma mão gentil sobre o ombro ou o braço da pessoa.
- Faça contato visual. Os seres humanos comunicam confiança e segurança ao olharem um para o outro.

- Conversem sobre fotos antigas ou histórias da família. A maioria das pessoas, até mesmo com demência avançada, retém alguma conexão com seu passado, de modo que as reminiscências podem ser afirmadoras.

Ed relembra os familiares:

— Ainda que você não receba nenhuma resposta, lembre-se de que um ente querido com demência, assim como qualquer outro ser humano, precisa de conexão emocional. Lembre-se também de que uma visita não é unicamente para a pessoa com demência; é também para o visitante. No final da jornada, cada um de nós que fez parte da vida de um ente querido com demência vai querer olhar para trás e sentir que fizemos o melhor que poderíamos ter feito.

Facilitação para a decisão sobre internar a pessoa em uma clínica

Art e Delia desfrutaram de 40 anos de casamento e criaram três filhos. Delia, uma professora do ensino fundamental que uma vez havia sido indicada para o prêmio de Professora do Ano, começou a ter problemas que ficaram aparentes para seus alunos e também para seus colegas. A diretora da escola de Delia expressou preocupação por sua capacidade de continuar na sala de aula. Tanto Art quanto Delia ficaram chocados quando Delia, de 62 anos de idade, foi diagnosticada com doença de Alzheimer precoce. Um ano depois de se aposentar, a memória de curto prazo de Delia havia desaparecido. Ela não conseguia falar de maneira inteligível e se perdeu ao caminhar na vizinhança. Precisava de ajuda para se vestir e tinha acidentes com sua bexiga dia e noite. Quando Art tentava ajudar Delia a se limpar e mudar de roupa, ela se tornava verbalmente abusiva e fisicamente agressiva. Ter de usar fraldas geriátricas colocadas por um adulto era mais do que a dignidade dela podia suportar.

Enquanto compartilhava essa história em sua primeira sessão de aconselhamento, Art perguntou a si mesmo como poderia continuar a cuidar de Delia em casa. Estava disposto a fazer isso por causa de seu amor por ela, mas ele também queria preservar a dignidade dela. Art contratou uma cuidadora de tempo parcial, mas uma vez que ela não ficava o tempo todo, Art ainda precisava lidar com as necessidades de higiene de Delia, e sua resistência estava aumentando. Em lágrimas, Art disse a Ed:

— Sinto que é minha obrigação manter Delia em casa. Eu seria consumido demais pela culpa se a colocasse em uma clínica e não sei se suportaria. Temos um plano médico, mas ele não cobre cuidadores de tempo integral, o que, segundo um corretor, custaria catorze mil dólares por mês.

E continuou:

— Meus filhos acham que Delia deveria ir para uma unidade de cuidado da memória em uma casa de repouso que fica a apenas cinco quilômetros de casa. Eles estavam preocupados com o preço que o cuidado como parceiro em tempo integral estava cobrando de mim.

Na jornada do Alzheimer, uma das decisões mais difíceis que uma família enfrenta é a de colocar a pessoa doente em uma casa de repouso. Muitos sentem que colocar a pessoa amada ali é o mesmo que abandoná-la. Existem muitas razões para considerar a internação em uma clínica, mas a maioria das famílias enfrenta essa decisão porque a pessoa amada alcançou o estágio em que é necessário haver assistência com as questões de banheiro, banho e troca de roupa e/ou não existem recursos financeiros suficientes para contratar cuidadores remunerados.

A PAUTA DE UMA REUNIÃO FAMILIAR NORMALMENTE INCLUI:

1. Um resumo de onde o paciente está neste momento em sua jornada da demência e para onde ele vai a seguir. Um auxílio visual mostrando os estágios da doença de Alzheimer (veja capítulo 4) ajuda a estabelecer uma linha do tempo.
2. Uma discussão do diagnóstico, prognóstico e necessidades de cuidado, dando oportunidade a cada membro da família de expressar seus sentimentos, permitindo que o cônjuge seja o primeiro a falar.
3. Uma discussão sobre as opções disponíveis, tais como manter o ente querido em casa ou interná-lo em uma casa de repouso, destacando vantagens e desvantagens, não apenas para a PCD, mas também para cada membro da família envolvido no cuidado da pessoa.
4. Uma discussão aberta sobre como permanecer conectado e qual a melhor maneira de amar o membro da família com demência, não importando qual seja a decisão sobre o local onde a pessoa viverá.

O aconselhamento familiar é a maneira mais útil de facilitar a discussão e a tomada de decisão que cercam a questão da colocação em uma casa de repouso. A sessão familiar inicial, liderada pelo médico envolvido ou pelo profissional responsável pela saúde mental, normalmente inclui o cônjuge e os filhos adultos, mas não a PCD. Se um ou mais filhos adultos vivem fora da cidade, eles podem ser incluídos por telefone ou por uma videochamada.

FACILITAÇÃO DO AMOR

Ed facilitou uma reunião familiar entre Art e seus filhos. Depois desse encontro, a família decidiu transferir Delia para uma unidade de cuidado da memória em sua cidade. Ed se encontrou com Art um ano depois. Art disse:

— Eu estava cheio de incertezas e tomado pela culpa sobre essa decisão. Logo depois da mudança, fiquei profundamente triste por não mais compartilhar a cama com Delia, por não tê-la pela casa, ciente de que ela nunca voltaria. Mas ficou claro bem rapidamente que o novo ambiente de Delia era melhor para ela. Toda a agitação que ela tinha em relação a mim desapareceu. Aprendi que uma visita de uma hora, na maioria dos dias da semana, é melhor para nós dois. Nós nos abraçamos, trocamos beijos e cantamos músicas antigas das quais nós dois gostamos. Às vezes até mesmo dançamos. O tempo que passamos juntos é um tempo de qualidade.

— Sabe — continuou Art —, uma de nossas coisas favoritas é a hora da soneca. Delia descansa a cabeça no meu ombro; eu seguro sua mão e digo: "Sou seu marido; você é a minha esposa e vamos passar o resto de nossa vida juntos" e ela adormece. Olhando para trás, percebo que não havia aceitado plenamente o diagnóstico de Delia, e a frustração e a ira que senti dentro de mim estavam sendo passadas para Delia no cuidado que tinha por ela. Agora aceitei que ela tem Alzheimer e a culpa se foi. Sei que ela está recebendo o melhor cuidado possível.

6

Histórias de *hesed**

O amor nunca desiste, nunca perde a fé,
sempre tem esperança e sempre se mantém firme.

1Coríntios 13.7

A HISTÓRIA DE TROY: "ELA FICAVA APAVORADA"

A tapeçaria de um relacionamento conjugal não esgarça da noite para o dia. Ela desfia lentamente, assim como foi trançada, uma conversa e uma experiência por vez. E, como Troy pode atestar, o esgarçamento pode ser tanto enervante quanto inexplicável.

Troy conheceu Danielle em 1986, quando assumiu um cargo na fábrica onde ela trabalhava. De acordo com Troy, Danielle era "a mulher mais linda que eu já tinha visto". Ele foi cativado pelo sorriso dela e por seus "olhos azuis maravilhosos". Conforme foram se conhecendo, ele ficou ainda mais impressionado "com sua enorme humildade e como ela ajudava todo mundo". Mais do que qualquer outra coisa, foi "sua personalidade amorosa que chamou minha atenção", disse ele.

Daniele estava com 29 anos de idade e era oito anos e meio mais velha que Troy. Nenhum dos dois, porém, se importou com a diferença de idade e, depois de namorarem por dois anos, eles se casaram. Danielle era a introvertida calada; Troy era "o sr. Festeiro, querendo sair e fazer qualquer coisa com qualquer pessoa para ter diversão". A combinação de personalidades dos

HISTÓRIAS DE *HESED*

dois funcionou bem nos primeiros anos de seu casamento. Troy dizia que eram "os melhores amigos e faziam tudo juntos". Então, inexplicavelmente, quando Danielle tinha 46 anos de idade, ela começou a mudar.

Troy se lembra do primeiro dia em que notou que havia alguma coisa errada.

— Sempre fizemos nossas próprias declarações de imposto de renda. Cheguei em casa um dia, vindo do trabalho, e Danielle estava sobre a cama com comprovantes e documentos por todo lugar, simplesmente chorando. Eu perguntei o que estava acontecendo. Ela olhou para mim com lágrimas nos olhos e disse: "Não consigo fazer. O que há de errado comigo? Simplesmente não consigo".

O que foi ainda mais perturbador é que Troy começou a perceber que a Danielle quieta e introvertida estava se transformando numa mulher rebelde e argumentativa que ele mal conseguia reconhecer. Ela dizia coisas como: "Você não vai me forçar a fazer isso!", relembra Troy, o que era "pura agressão verbal". Ele ficou perplexo. Antes disso, como ele comentou, ambos concordavam em praticamente tudo. O pior de tudo foi que, naquele momento, o "sr. Festeiro" viu-se casado com Danielle, a reclusa.

> *Hesed*: uma palavra hebraica que combina amor e lealdade. *Hesed* é amor com que se pode contar, que intervém em favor dos amados e vem em seu resgate

— Ela queria ficar em casa e não queria que *eu* fosse a lugar algum. Essa era a coisa sobre a qual mais discutíamos. Chegamos a um ponto em que ela não queria nem mesmo que fôssemos ao supermercado. Ela não queria que fizéssemos *nada*. Ela nos fechava em nosso quarto. Pegava o fio do aquecedor

MANTENHA VIVO O AMOR ENQUANTO AS MEMÓRIAS SE APAGAM

elétrico, o enrolava na maçaneta da porta e trancava com chave. Colocava coisas contra a janela. Trancava a porta do *closet* e do banheiro. Em seguida, se acocorava na cama. É triste, mas ela ficava realmente apavorada.

Troy e Danielle procuraram ajuda, mas em vão. Depois de um período de anos, tinham em mãos uma lista enorme de possíveis diagnósticos: depressão, menopausa, estresse, distúrbio de estresse pós-traumático, baixo nível de sódio, falsa demência, problemas hormonais, "ela está se fingindo de doente" e, o pior de todos: "Não há nada de errado com ela". Enquanto isso, Troy percebeu que a atitude e a reclusão dela pioravam cada vez mais, tanto que ela nunca queria sair do quarto.

Por fim, Troy se cansou. Ele se lembra de pensar: "Bem, se estão me dizendo que ela está bem e os remédios não estão ajudando, então não vou fazer parte disso".

— O comportamento dela estava simplesmente me levando a uma perda na vida — disse ele. — Eu não queria me sentar numa casa sem poder ver ninguém nem fazer nada. Aquilo estava me deixando louco. Assim, eu disse a ela: "Estou indo embora. Não vou fazer isso". E saí de casa.

Troy se informava sobre a situação de Danielle regularmente e cortava a grama do jardim para ela, mas eles permaneceram separados até que um dia, mais de um ano depois, ele finalmente descobriu a causa das mudanças inexplicáveis do comportamento dela. Quando ela estava com 52 anos de idade, uma tomografia por emissão de pósitrons (TEP) finalmente revelou o verdadeiro diagnóstico de Danielle: doença de Alzheimer precoce, agora em estágio avançado. Juntamente com esse diagnóstico devastador veio uma mudança no coração de Troy. Ele voltou para casa e para Danielle, pois agora entendia que seu comportamento perturbador não era de fato "ela", mas a doença que estava tomando conta dela. Ele disse:

— Voltei porque percebi pelo que ela estava passando e o que estava prestes a enfrentar. Os olhos de Danielle mostravam isso e pude ver: ela estava aterrorizada. Diante disso, pensei: "Ela precisa de apoio e força, e vou ficar ao lado dela".

Hoje, Troy olha com arrependimento para os anos que antecederam o diagnóstico de Danielle. Ele admite:

— Houve momentos naqueles anos em que não fui amoroso. Fui detestável. Fui muito egoísta.

Sua decisão de voltar para Danielle, porém, foi o oposto do egoísmo: ela marcou o início de um derramamento de amor *hesed* sobre Danielle que se iniciou na primavera de 2012 e prossegue até o presente. Hoje, aqueles que conhecem Troy são tocados pelo cuidado compassivo que ele tem por Danielle e suas constantes expressões de amor para ela. Ele é um modelo de cuidado altruísta e amoroso.

— A compaixão é provavelmente o que mais cresceu dentro de mim por causa daquilo que Danielle está sofrendo — disse ele. — Se houvesse uma maneira de tirar essa doença dela, eu o faria.

A HISTÓRIA DE SANDRA: "NÃO VOU PERMITIR QUE VOCÊ ME TRATE ASSIM"

Sandra nos disse:

— O trabalho sempre foi uma parte muito importante da minha vida.

Trinta anos antes, uma oferta de emprego de uma grande empresa a havia levado para a cidade onde ela conheceu Aaron, "um bonito rapaz judeu". Eles descobriram que ambos gostavam muito de vinhedos e que também compartilhavam uma paixão por filmes estrangeiros, viagens e arte. Eles se casaram e tiveram um filho, Joel, e uma menina, Peyton.

— Tínhamos um tipo bastante moderno de casamento independente — disse Sandra. — Eu fazia minhas coisas e ele fazia as dele.

Por todo seu casamento, embora Sandra permanecesse apaixonada por sua carreira, os interesses comuns que ela compartilhava com Aaron criaram muitas oportunidades de passar tempo de qualidade juntos. A vida era boa.

Quando Aaron completou 55 anos de idade, Sandra percebeu que alguma coisa nele havia mudado. O palpite dela era que ele estava com transtorno do déficit de atenção (TDA) adulto e o incentivou a ver um médico.

— Achei que o médico iria simplesmente perguntar qual remédio ele gostaria de tomar — disse ela —, mas uma consulta levou a outra.

Ela se perguntava para que eram todos aqueles exames.

Qualquer que fosse o problema de Aaron, estava piorando e começando a causar tensão em seu casamento. Sandra se recorda:

— Foi um tempo difícil. Havia atrito. Havia tensão, mas não se entendia que era causado por um problema de saúde. Havia uma força real nos separando. Creio que, do lado dele, era porque ele não conseguia pensar e, do meu lado, porque eu estava desapontada com nossas interações. De certo modo, fomos cada um para o nosso canto individual. Foi um ato deliberado de minha parte. Eu sentia que o mundo dele era bastante estreito. Pensei que deveria deixá-lo.

Perguntamos a ela:

— O que fez você aguentar?

HISTÓRIAS DE *HESED*

— Provavelmente os filhos — respondeu ela.

Joel e Peyton, disse ela, também sabiam que as coisas não estavam certas.

— O pai deles não conseguia contar os gols que faziam na partida de futebol. Sentado ao lado do campo, ele não conseguia realmente comemorar, mas nenhum de nós sabia por quê.

Sem que Sandra soubesse, Aaron também estava experimentando sérias dificuldades no trabalho. Ele não conseguia se lembrar da senha de seu computador. Estava recebendo tarefas mais simples. Sandra mais tarde descobriu que os colegas de trabalho o estavam ajudando e cobrindo. Por fim, o empregador de Aaron apresentou-lhe uma escolha: pedir demissão ou ser despedido. Aos 57 anos, depois de mais de 30 anos na mesma empresa, ele pediu demissão, ainda sem diagnóstico. Não muito tempo depois, cerca de dois anos após Sandra tê-lo mandado ao médico para conseguir um comprimido para tratar o TDA, chegou o diagnóstico: doença de Alzheimer precoce.

Sandra admitiu:

— No início, eu reclamava e gritava como cuidadora. Não é o meu *modus operandi*, não sou o tipo de pessoa atenciosa e expansiva. Assim, tão logo recebemos o diagnóstico, fui a toda velocidade atrás de lugares que pudessem cuidar dele ou de grupos de apoio aos quais pudéssemos ir juntos. Foi uma tarefa enorme. Eu estava estressada. Sentia-me bastante maltratada e queria muito simplesmente colocar minha carreira de volta nos trilhos. Não tenho orgulho disso; mas era assim que eu me sentia no começo da atividade de cuidadora.

Então, algo bastante inesperado mudou a atitude de Sandra.

Semanas depois, para aliviar o estresse do ato de cuidar, Sandra fez uma viagem de final de semana para a cidade de Nova York para ter algum descanso. Ela deixou Aaron em casa sob a responsabilidade de cuidadores do sexo masculino que trabalhavam em turnos. Quando Aaron acordou depois de uma soneca, dois cuidadores estavam presentes e, em estado de confusão, ele acertou um deles. Ele não conseguia parar de bater, de modo que pediram ajuda, o que resultou na remoção dele para o pronto-socorro de um hospital. Lá no PS, as coisas foram de mal a pior. Ele bateu em uma enfermeira e foi amarrado. Quando tiraram as amarras, a equipe de segurança foi envolvida. De alguma maneira, Aaron terminou com um olho roxo e uma lesão séria no braço.

Sandra foi contatada e chegou ao PS algumas horas depois. O médico que o atendia insistiu com ela que Aaron fosse internado a força, mas não sabia dizer onde ele poderia ser colocado. Sandra disse:

— Naquele momento, ficou bastante claro que o resto do mundo não iria cuidar dele. Ele estava fora da realidade. Eu literalmente o arranquei de lá e levei-o de volta para casa. O médico tinha medo de que ele ficasse violento. Eu não sabia o que tinha em minhas mãos. Simplesmente sabia que aquilo que estava acontecendo no PS não poderia continuar.

Sandra continuou

— Aquela experiência foi o momento decisivo para mim. Deixei de ser uma cuidadora relutante e passei a me envolver plenamente. De certo modo, montei uma "barricada" em torno dele. Aaron estava ferido física e mentalmente e tornei-me sua mais determinada defensora. Envolvi-me plenamente de uma maneira bastante deliberada: "Você não vai fazer isso com ele. Não vou permitir que você o trate dessa maneira". No meio dessa crise, percebi o quanto eu o amava. Tornei-me totalmente instintiva, plenamente envolvida e focada, com cuidado total, tentando trazê-lo de volta ao rumo.

HISTÓRIAS DE *HESED*

Aaron viveu apenas mais 70 dias depois do incidente no pronto-socorro. Durante aquelas 10 semanas, apesar de seu declínio incomumente rápido, o foco apaixonado e "total" de Sandra permitiu que o amor deles fosse aceso novamente de maneira surpreendente e bela. Ela se dirigia a Aaron usando todas as cinco linguagens do amor durante esse tempo.

Em casa, Sandra se sentava com ele e assistia à televisão. Fora de casa, ela se concentrava intencionalmente nas coisas das quais eles gostavam no início de seu relacionamento.

Veja seu relato:

Jamais fomos de dar muitos presentes um ao outro, mas eu diria que meu presente a ele depois da crise foi simplesmente tempo e foco único.

Continuamos o máximo de tempo possível fazendo coisas de que gostamos de fazer. Eu o levava a vinhedos provavelmente por um tempo muito maior do que as outras pessoas consideravam confortável. Fomos ao cinema e naquele dia o filme em particular era esquisito, mas dei continuidade ao nosso *tempo de qualidade* até o final. Porque ainda que houvesse coisas esquisitas ou estranhas, o positivo superava em muito o negativo.

Antes da crise, não havia muitas *palavras de afirmação*. Mas bem no final, quando suas capacidades estavam tão ausentes, pela manhã, se ele conseguisse ir sozinho ao banheiro, eu dizia: "Isso foi fantástico!". Era como criar um filho de 18 meses de idade e, em seu mundo de 18 meses de idade, eu o estava incentivando. Ele estava em um ponto muito diferente de sua masculinidade plena. Às vezes ele dizia: "Não fale comigo desse jeito". Ele não ficava feliz em receber palavras de afirmação no nível em que recebia, mas em outros momentos ele simplesmente dizia: "É, foi bom. Fiz tudo certo".

O *toque físico* foi reintroduzido depois da crise. Depois de ter saído do pronto-socorro naquele estado deplorável, ele passou a precisar de minha mão para firmá-lo e para dar segurança, e o toque se tornou um conector bastante forte. Temos um carro conversível e eu o levava para longos passeios e segurávamos as mãos, o que não fazíamos havia anos. Ele conseguiu conversar até o final. Mas ele não sentia necessidade de conversar, porque não considerava algo obrigatório. O toque se tornou importante nos filmes também; ele simplesmente ficava feliz por segurar minha mão. Depois da experiência no PS, ele passou a ter dificuldades para dormir. Assim, eu me deitava com ele e segurava sua mão, o que eu não fazia antes. Ele ficava bastante feliz quando eu segurava sua mão.

Em várias ocasiões, ele foi capaz de dizer o quanto era agradecido. Isso não era comum. Geralmente acontecia enquanto eu estava segurando sua mão e o acompanhava ao banheiro e no banho. Ele entendia que eu era o elo para que ele fosse capaz de funcionar e sobreviver. Ele dizia: "Obrigado. Eu amo você. Você é ótima". E era no meio do segurar de mãos, normalmente a caminho de levá-lo aonde ele precisava estar, que ele expressava essas palavras.

Na noite anterior à sua morte, ele disse que me amava. Ficamos de mãos dadas por quase duas horas. E penso que, de alguma maneira, ele sabia que não ficaria muito mais tempo neste mundo. Ele disse que me amava e me beijou nos lábios, o que não era comum.

Olhando para trás, Sandra disse:

— Por mais horrível que a experiência do PS tenha sido, ela nos deu uma oportunidade de criar uma conexão amorosa que não era tão forte antes da crise.

A EMPATIA DE *HESED*

Durante muito tempo, nem Troy nem Sandra conseguiram entender plenamente a razão para o comportamento estranho e perturbador de seus cônjuges. Ambos concluíram que os respectivos casamentos estavam condenados. Troy de fato partiu e Sandra considerou a ideia de sair. O que trouxe Troy de volta e impediu que Sandra partisse de vez foi a percepção compassiva de que seus cônjuges estavam desamparados em meio ao sofrimento da doença que havia tomado conta da vida deles.

Gary escreveu em *As 5 linguagens do amor*: "O encorajamento exige certa empatia, um olhar para o mundo a partir da perspectiva do cônjuge".[1] Tanto para Troy quanto para Sandra, a visão repentina do mundo a partir da perspectiva do cônjuge foi um sinal de alerta que mudou a atitude dos dois. Ambos decidiram permanecer casados e apoiar de maneira amorosa seus cônjuges, enfrentando com eles a jornada da demência. Como Gary escreveu, "amar é sempre uma escolha".[2] Troy e Sandra fizeram uma guinada de 180 graus porque optaram por amar de maneira altruísta: *hesed*.

A HISTÓRIA DE JON: "QUEM É ESSE HOMEM NO CARRO?"

Demência com corpos de Lewy

Sobre a Demência com corpos de Lewy:[3] *Até agora, nos concentramos basicamente na doença de Alzheimer porque, como foi mencionado no capítulo um, é o tipo mais comum de demência, responsável por 60% a 80% de todos os casos de demência. Um número muito menor de pessoas já ouviu falar da Demência com corpos (ou corpúsculos) de Lewy (DCL), o terceiro tipo mais comum de demência, afetando de 1 a 1,4 milhão de pessoas nos Estados Unidos. (A demência vascular, causada por derrames, é a segunda causa.)*

A DCL é um termo que abarca várias formas de demência que resultam da presença dos corpos de Lewy (depósitos anormais de proteína) no cérebro. Um número muito maior de homens do que de mulheres tem DCL. Pelo fato de a DCL não ser tão comum quanto

MANTENHA VIVO O AMOR ENQUANTO AS MEMÓRIAS SE APAGAM

a doença de Alzheimer, os pacientes de DCL, os parceiros de cuidado e os familiares costumam ter dificuldade para obter um diagnóstico preciso e encontrar suporte de pessoas na mesma situação. (Veja mais informações sobre a DCL em "Demências não Alzheimer", no Apêndice B.)

Jon e Suzanne se encontraram em 1969, quando ambos eram estudantes universitários. Eles se viam nas festas das fraternidades, mas não haviam de fato se conhecido. Jon disse:

— Descobrimos que morávamos no mesmo prédio dos alojamentos. Ela ficava no terceiro andar e eu no segundo.

A descoberta da residência comum se deu em um dia quente de verão, quando Suzanne estava levando o lixo para fora. Jon se lembra:

— Ela levava seu lixo pelas escadas do fundo, e foi meio engraçado. Ela usava uma camiseta sem mangas e um short, e carregava o saco de lixo à sua frente. Quando a vi descendo a escada, tudo o que vi foram pequenos braços e pernas descobertas. E os olhos dela. Ela era linda. Pensei: "Cara, essa é uma garota atraente". Ela me viu e respondeu com um "oi". Percebi então que eu já havia visto aquela menina em festas e assim começamos a ficar juntos.

— Foi um caso de amor desde o início — disse ele. — Ela era simplesmente um par perfeito para mim. Era bastante animada, amava explorar e era criativa. Fizemos coisas divertidas durante toda nossa vida juntos, antes e depois do casamento.

Depois da faculdade, eles se casaram, tiveram dois filhos e desfrutaram carreiras de sucesso, o que os levou a três cidades diferentes no curso de seu casamento.

— Em todos os lugares para os quais nos mudávamos, Suzanne formava algum tipo de grupo de festa. Sempre havia

HISTÓRIAS DE *HESED*

alguma coisa acontecendo em nossa casa. Ela gostava de usar trajes mais elaborados e de se arrumar, e também arrumava as crianças. As festas para as crianças eram incrivelmente divertidas. E também havia festas espontâneas. Éramos um ímã para outros casais como nós. Sempre tínhamos um grupo de pessoas que gostavam de jogos de tabuleiro, charadas, jogos de mímica, festas, coisas desse tipo. Nós os procurávamos, mas eles também nos procuravam. A vida era tão maravilhosa porque a personalidade de Suzanne era o exato complemento da minha.

Jon relembra:

— Gostávamos tanto da companhia um do outro que a tendência era fazermos uma porção de coisas juntos. Cada um tinha sua vida separada: ela era professora e eu tinha um trabalho que envolvia algumas viagens. Mas quando estávamos em casa, arrumando o jardim ou cozinhando, à noite, aquele momento era nosso. Era muito, muito bom. Era uma vida simplesmente maravilhosa.

Em 2009, Jon começou a notar certas coisas estranhas no comportamento de Suzanne. Ele disse:

— Ela me pedia café quando ele estava bem na frente dela. Eu destacava isso e ela se fazia surpresa e olhava para o café.

— Ela começou a ficar confusa — disse ele — com as coisas mais simples, como a maneira de usar a máquina de fazer gelo na porta do refrigerador; ela se esquecia de que deveria empurrar o botão, não apenas colocar o copo ali.

Jon sabia que Suzanne estava enfrentando o que ela pensava ser uma crise de ansiedade, e sabia também que ela havia buscado tratamento com um psiquiatra. Mas ele não sabia de uma coisa:

— Ela havia desistido de dirigir. Ela ia a esses lugares durante o dia, enquanto eu estava no trabalho.

Em 2010, Suzanne, uma fotógrafa habilidosa, começou a fazer perguntas aos membros de seu clube de fotografia que os deixaram confusos. Um deles perguntou a Jon:

— Suzanne está bem? Ela está agindo como se não soubesse usar sua câmera.

Jon disse:

— Eu também estava notando que ela não conseguia abotoar as roupas corretamente. Se eu segurasse um casaco para ela vestir, ela até conseguia encontrar um dos braços, mas, não importava o que eu fizesse, ela não conseguia encontrar o outro. Assim, eu precisava colocar os dois braços dela para trás e enfiava os dois braços ao mesmo tempo. A habilidade de realizar tarefas sequenciais foi a próxima coisa que ela perdeu, a capacidade de seguir os passos 1, 2 e 3. Isso me deixou preocupado.

O evento divisor de águas aconteceu em julho de 2011. Jon relatou:

— Suzanne saiu em um cruzeiro com cinco amigas de infância que se reuniam anualmente. Achava que, se havia alguma coisa que dava base para ela, eram essas cinco amigas. Enquanto estavam no mar, recebi uma mensagem do seu navio de cruzeiro. Suas amigas estavam preocupadas porque, de repente, ela não mais as reconhecia. Ela agia com ansiedade e desconfiança e, finalmente, disse a uma delas: "Quem é você e o que estamos fazendo aqui?".

Jon conversou com o psiquiatra de Suzanne sobre o incidente no navio de cruzeiro. Ele pediu exames que, segundo Jon, "mostraram comprometimento em várias áreas". O psicólogo que a avaliou usou as palavras "comprometimento severo" e disse a Jon para não deixá-la sozinha em casa. Em setembro, aos 61 anos, Suzanne foi diagnosticada com demência com corpos de Lewy. Jon aposentou-se imediatamente de seu trabalho e dedicou plena atenção ao cuidado com ela. Ele relembra:

— Um dia, Suzanne me disse, com cautela: "Você poderia ligar para a Patty?". Ela era uma amiga nossa. Fiz a ligação. Suzanne pegou o telefone e sussurrou: "Posso ir até aí?", e Patty disse: "Claro". Assim, levei-a até a casa de Patty e, quando estacionamos, Suzanne saiu apressadamente do carro e correu para a porta da frente da casa. Perguntou a Patty: "Quem está no carro? Quem é aquele homem no carro?". Patty tranquilizou-a dizendo: "É o Jon, seu marido".

— Foi ficando cada vez pior — Jon comenta. — Quase que diariamente, ela me olhava daquele jeito que dizia: "Não sei quem é você. Por que você está na minha casa?". Durante uma conversa com sua cunhada, Suzanne de repente se inclinou e disse: "Você pode me dizer onde está o Jon?". Sua cunhada respondeu: "Ele está bem ali". Suzanne respondeu: "Por que todo mundo está fazendo isso? Por que ninguém me diz? O que está acontecendo aqui? Onde está ele?".

Jon afirmou que, desse ponto em diante, Suzanne não o reconhecia mais como seu marido. Ele disse:

— O relacionamento marido e mulher foi um território ardiloso por vários meses em 2013, tentando descobrir como poderíamos nos relacionar. Tocar, beijar na face, abraçar, qualquer tipo de toque a deixava inquieta. Ela dizia coisas como: "Você é o zelador? Quem paga você?". Ela achava que eu era o zelador do local onde ela vivia. Se eu saía dali para tomar um banho e trocar de roupa e, depois, entrasse novamente na sala, ela voltava ao: "Aí está você!". Então, 30 segundos ou um minuto depois, ela voltava ao "Não, não é você". Ela dizia "Aí está você!" como saudando um amigo que não tivesse visto por anos e, de repente, cruzasse com ele no mercado. Era um tipo de entusiasmo prazeroso. Então, ela retornava para "Bem, esse é o outro Jon".

Enquanto durou sua doença, Suzanne continuou acreditando que Jon não era seu marido, mas um impostor semelhante. Essa ilusão, conhecida como síndrome de Capgras, afeta aproximadamente 17% das pessoas com DCL, de acordo com um estudo citado pela Associação Americana de Demência com corpos de Lewy.[4] (Conforme mencionado no capítulo 3, a síndrome de Capgras também pode ocorrer na DA.)

Jon disse:

— Um terapeuta me orientou que eu não deveria confrontar a ilusão nem confirmá-la. Eu tinha de considerar nosso relacionamento basicamente como ela fazia, um tipo de "bondade entre estranhos". O máximo que consegui obter depois de 2012 foi apenas uma amizade confortável. Ela era muito agradecida pela bondade de um estranho chamado Jon.

Embora Suzanne nunca tenha voltado a reconhecer Jon como seu marido, o amor dele por ela nunca desvaneceu, embora seu coração estivesse partido. Ele olhava sem esperança para Suzanne enquanto ela andava pela casa gritando: "Cadê o Jon? Por que ele me deixou sozinha? Será que ele vai voltar?". Ele disse:

— Quase todos os dias, por diversas vezes, eu queria desesperadamente cobrir as mãos dela com as minhas e dizer que a amava. Mas isso a assustava, porque, para ela, eu era Jon, o zelador do condomínio, ou Jon, o guia atencioso que a levava às consultas médicas. No início, eu lutava contra a doença dizendo: "Vou convencê-la de que sou o Jon". Mas se eu tocasse em seus ombros, podia ver que não estava lhe dando paz; eu lhe trazia intranquilidade.

— Certo dia — continuou —, eu estava no quarto, trocando os lençóis da cama dela quando ela veio por trás de mim, jogou

HISTÓRIAS DE *HESED*

uma caixa de lenços e me bateu nas costas. Ela exigiu: "Olhe para mim!". Virei-me e ela disse: "Por que você não me diz onde está o Jon?". Naquele momento, eu simplesmente desisti de tentar responder.

Em seu papel de "estranho bonzinho", Jon tentou manter a normalidade, continuando a fazer as coisas comuns com Suzanne. Ele recorda:

— Certa vez, em uma cafeteria, ela estava junto ao balcão e queria colocar açúcar em seu café. O atendente lhe serviu o café e disse: "O açúcar está atrás de você". Assim, ela se virou, mas não processou o que ele dissera. Voltou-se para ele e disse: "Você pode me dar um pouco de açúcar?". Ele disse: "Está atrás de você". Ela ficou simplesmente parada ali. O rapaz ficou frustrado. Então, falando realmente alto e na frente de todo mundo, ele disse: "SENHORA, O AÇÚCAR ESTÁ BEM ALI!". Ela simplesmente colocou seu café no balcão e saiu. Eu estava lá com ela e disse: "Não, não, não" e, então, peguei o café e o açúcar. Experiências desse tipo eram devastadoras para ela. Ela simplesmente não queria mais voltar lá. Começou lentamente a se afastar

> "No início, eu lutava contra a doença dizendo: 'Vou convencê-la de que sou o Jon'."

e, por fim, tornou-se incapaz de ir a qualquer lugar, mesmo que fosse a um simples passeio. Seu cérebro simplesmente não estava mais processando o mundo.

Para a maioria das pessoas com demência com corpos de Lewy, a percepção costuma ser preservada. Nesse sentido, Suzanne apresenta o comportamento típico e, nas palavras de Jon, continuava "bastante perceptiva". Ela sempre sabia que alguma coisa estava terrivelmente errada e tentava desesperadamente se colocar novamente nos trilhos. Jon recorda:

— Ela ficava me implorando: "Por favor, você pode me ajudar? Alguém precisa me ajudar. Será que você poderia me levar a um médico?".

Jon conta sobre um evento ocorrido quando Suzanne já se aproximava do final:

— Encontrei pedaços de papel onde ela havia escrito seu nome, o meu nome, o nome dos filhos muitas e muitas vezes. Ela praticava dizer seu próprio nome em voz alta repetidas vezes: "Suzanne Griffin, Suzanne Griffin, Suzanne Griffin". Tal como uma pessoa à beira de um abismo, penso que ela estava tentando se segurar em alguma coisa.

Desde que começou a cuidar dela, o foco de Jon se concentrou em amar e confortar Suzanne em todos os aspectos possíveis. Depois do diagnóstico da DCL e sua aposentadoria apressada, ele vendeu a casa deles e construiu uma nova mais perto de sua filha e dos netos, crendo que essa nova casa seria mais confortável para Suzanne. Quando ela deixou de reconhecê-lo como marido, Jon contratou cuidadoras e se mudou para um quarto separado. No início da doença, ela permitia que ele lhe fizesse massagem nos pés e aceitava pequenas bugigangas como presentes. Mais tarde, ele procurava se certificar de que ela comia, dava-lhe seus remédios e lavava seu cabelo. Havia passeios diários de carro, momentos de escutar música, massagens nos braços e reposicionamento da cama para que ela pudesse olhar pela janela.

— Eu fazia qualquer coisa que a acalmasse. Largava tudo e ia ajudá-la — disse Jon.

Em 27 de janeiro de 2015 Suzanne caiu e quebrou a bacia. Naquele dia Jon tomou uma decisão: ele diria as palavras "eu amo você".

— Falei isso uma centena de vezes. Decidi que, mesmo se isso a deixasse ansiosa, era melhor que ela ouvisse... "Eu amo

HISTÓRIAS DE *HESED*

você. Eu amo você. Eu amo você. Você é amada. Seus filhos amam você. Seus netos amam você. Eu amo você. Jon ama você". Eu dizia isso constantemente.

No último domingo de sua vida, Suzanne entrou numa casa de repouso. Os funcionários do local quiseram dar-lhe um banho na cama e lavar seus cabelos. Enquanto eles colocavam uma cortina em torno dela para dar privacidade, Suzanne gritou chamando Jon. Foi a última vez que ela falou. Na manhã da quarta-feira seguinte, logo depois do alvorecer, Suzanne faleceu, segurando a mão daquele que fora seu amado marido por 40 anos.

— Meus amigos mais próximos me incentivam ao dizer o quão abençoado eu fui e como nosso casamento foi singular. Nossa vida foi rica e plena, e muitos casais não têm isso.

Ao relembrar da busca incansável dela pelo "Jon" verdadeiro durante toda sua doença, ele reflete com ternura:

— Isso me disse que ela me amava imensamente. Sua angústia era proporcional ao seu amor.

A HISTÓRIA DE GRACIE: "ESTOU CASADA MAS VIVO SOZINHA"

Demência frontotemporal

Sobre a demência frontotemporal:[5,6,7] *A demência frontotemporal (DFT) é um termo que abrange as condições que fazem com que porções dos lobos frontal e temporal do cérebro encolham e percam função. Esses lobos controlam comportamento, linguagem, personalidade e movimento físico. Os sinais e sintomas mais comuns da DFT são mudanças extremas de comportamento e personalidade. Pessoas com a doença podem se tornar impulsivas, rudes, emocionalmente indiferentes e aptas a se comportar de maneira socialmente* *imprópria, sem a percepção para reconhecer que suas palavras e seu comportamento são ofensivos.*

A DFT, a quarta causa mais comum de demência, pode ser a responsável por até 10% de todos os casos de demência, afetando estimados 140.000 a 350.000 pessoas nos Estados Unidos. Diferentemente da DA, que se torna mais provável à medida que a pessoa envelhece, a DFT normalmente afeta pessoas mais jovens. Entre pessoas com até 65 anos, a DFT é a demência mais comum depois da DA precoce. Pelo fato de a DFT ser muito menos comum que a doença de Alzheimer, assim como acontece com a demência com corpos de Lewy, os pacientes de DFT e seus familiares costumam enfrentar dificuldades para obter um diagnóstico preciso e encontrar grupos de apoio. (Veja mais informações sobre a DFT em "Demências não Alzheimer", no Apêndice B.)

Gracie conheceu Ken quando tinha apenas 17 anos de idade. Foi sua melhor amiga quem apresentou-lhe Ken, e ele ligou no dia seguinte convidando-a para sair. Ela aceitou, pensando que o convite era para a noite do sábado seguinte. Mas, quando ele ligou no meio da semana para confirmar o horário em que iria pegá-la na sexta-feira, ela percebeu seu engano.

— Achei que você tivesse dito sábado. Tenho um encontro na sexta-feira.

— E eu tenho um encontro no sábado — disse ele. — Vamos fazer o seguinte. Se você cancelar o seu encontro, eu cancelo o meu e levo você para sair em ambas as noites.

Gracie disse:

— Cinquenta anos depois, aqui estamos nós!

— Ele era lindo — relembra ela —, mas o mais importante é que ele era bondoso. Eu simplesmente amava sua bondade. Nunca havia sido tratada com bondade antes.

HISTÓRIAS DE *HESED*

Tendo crescido com um pai violento e alcoólico, Gracie não pôde deixar de notar que a família de Ken era diferente. Ela disse:

— Ken abraçava sua família e eu nunca tinha visto aquilo antes. Ele era leal para com sua família, respeitoso com eles e era engraçado. Ele tinha muitas qualidades admiráveis: era bem--humorado, sempre trabalhador. Eu amava não apenas aquele rapaz, mas também sua família. Eles eram gentis, respeitosos e bondosos. Eu simplesmente amava a tranquilidade deles.

Ela relembra uma tarde de domingo, muito tempo atrás.

— Éramos jovens. Estávamos na faculdade, tínhamos mais dois anos pela frente e queríamos nos casar. Ken estava do lado de fora, conversando com seu pai, e sua mãe e eu estávamos dentro de casa. Sua mãe disse: "Você sabe o que ele está fazendo lá fora com o pai, não é?". Eu disse que não sabia. Ela então respondeu: "Bem, ele está falando com o pai dele sobre como nós poderíamos ajudar vocês a pagar os estudos caso vocês queiram se casar. É melhor você ir até lá para ajudá-lo!".

Animada, ela saiu e se juntou à conversa. Ela ainda consegue se lembrar vividamente o pai de Ken sentado naquele antigo balanço verde de varanda, conversando com eles sobre o futuro que imaginavam como marido e mulher.

Com um tom nostálgico em sua voz, Gracie disse:

— Acabamos de voltar da fazenda onde Ken cresceu. A viúva do irmão dele vive lá agora. Ken e eu nos sentamos no mesmo balanço.

Ele se lembrou do balanço?

— Oh, sim. Ele se lembrou. Eu disse: "Seu pai estava sentado neste balanço enquanto conversávamos com ele sobre o nosso casamento". Nós namoramos naquele balanço. Eu balancei meus bebês ali. A mãe dele e eu separamos feijões juntas sentadas naquele balanço. Assim, aquele balanço, meu Deus, aquele balanço é quem nós somos. É um símbolo muito bonito. É simplesmente muito precioso para mim. Eu chorei. Ele não significou nada para Ken. Ele não sentiu nada por estar comigo naquele balanço.

Com o passar dos anos, o velho balanço da varanda da casa da fazenda mudou muito pouco.

— Ele ainda é da mesma cor. Eles o mantiveram pintado de verde — disse Gracie.

No entanto, Ken havia mudado bastante.

— Nós nos casamos muito jovens, com 20 e 21 anos — disse Gracie. — Sempre tivemos um casamento ótimo. Sempre tivemos um ótimo relacionamento íntimo, com toques, abraços, assistíamos a televisão de mãos dadas. Ken era divertido. Costumávamos sair para pescar juntos. Mantivemos um píer de pesca no rio por dez anos de nosso casamento. Nós dois amávamos a água. Eu gostava muito do fato de termos muitos interesses em comum.

Eles tiveram dois filhos. No decorrer dos anos, compraram dez casas antigas e viveram em cada uma delas enquanto as reformavam juntos. Em seguida, vendiam a casa com algum lucro e se mudavam para a casa seguinte. Então, no meio de tanta felicidade, inexplicavelmente, Ken começou a se afastar de Gracie.

— O que está acontecendo? Não entendo isso! — exclamou Gracie um dia. Ken então respondeu:

— Em 1974, você disse alguma coisa para minha mãe que foi muito rude e eu simplesmente decidi que vou punir você por isso. Não vou perdoar você.

— Ken — disse Gracie — isso não faz nenhum sentido. Eu e sua mãe somos grandes amigas.

Semanas depois, as coisas não melhoraram. Perplexa, Gracie se lembra de dizer:

HISTÓRIAS DE *HESED*

— Olhe, Ken, o que está acontecendo?

— Bem — respondeu ele —, lembro-me de uma vez que você disse que eu só estava interessado em você por causa do sexo. Assim, decidi que não vou mais tocar você de novo.

Gracie sabia que eles precisavam de ajuda. Ela disse:

— Procuramos um conselheiro matrimonial. Na primeira vez que nos encontramos, o conselheiro perguntou: "Qual é o problema?". Ken disse: "Eu não tenho nenhum problema. Ela tem". Não é surpresa que o aconselhamento tenha falhado. Na verdade, o conselheiro desistiu no meio da terceira sessão, dizendo: "Acho que vocês estão desperdiçando meu tempo e o seu dinheiro".

> "Decidi que não vou mais tocar você de novo."

O abismo entre eles continuava a crescer, por mais que Gracie tentasse diminuir a distância. Gracie conta que Ken era "briguento, briguento e briguento". Ele foi despedido de três empregos por ter desafiado o chefe. Por mais de uma década, ela lutou para entender o que havia acontecido ao casamento alegre e gratificante que eles um dia tiveram. Ela contou como foram os anos que se seguiram:

— A discussão era um problema, o desrespeito era um problema, a perda dos empregos era um problema, a intimidade era um problema, e ele começou a passar cada vez mais tempo consigo mesmo. Ele me "deixou" há mais ou menos doze anos. Cerca de três anos atrás — continuou ela —, eu finalmente disse: "Vamos a um médico. Vamos provar, de uma maneira ou de outra, que um de nós tem um problema. Se ficar claro que não temos, então essa será a forma como acabamos nosso casamento, e precisaremos pensar o que vamos fazer com ele. Mas se um de nós tiver algum problema, então poderemos obter ajuda". A resposta de Ken foi: "Eu vou porque vou provar que o problema é você".

Os exames iniciais pareciam indicar que Ken estava no estágio inicial da doença de Alzheimer. Então, cerca de um ano e meio atrás, um geriatra especializado em diagnóstico de demência disse a Ken: "Você não tem doença de Alzheimer. Ainda não tenho certeza do que seja, por isso vamos fazer mais exames".

Gracie conta:

— Fizemos uma TEP, que foi analisada por dois especialistas. O médico me chamou logo depois e disse: "Vou dar o diagnóstico clínico de demência frontotemporal". Eu nunca tinha ouvido falar disso. Comecei a fazer pesquisas sobre a DFT. Então tudo começou a fazer sentido. Olhando para trás, tive aquele momento de iluminação: então era *isso*!

Por mais de uma década, Gracie não teve explicação para as mudanças radicais no comportamento de Ken. Receber aquele diagnóstico finalmente deu a Gracie a *explicação* que ela buscava com tanta ansiedade. Infelizmente, entender a doença não melhorou seu casamento nem eliminou seu torturante senso de solidão. Desde aquele dia, 12 anos trás, quando Ken disse a ela "não vou mais tocar você de novo", ele tem permanecido física e emocionalmente isolado dela.

Ela diz:

— Ele tem um "cantinho" lá fora que é só dele, perto da garagem. É um cômodo com TV, frigobar e ar-condicionado. Assim, ele passa o dia inteiro consigo mesmo. Ele vem para casa para o jantar, que ele come na frente da televisão. Ele não fala. Depois do jantar, ele volta para seu cantinho. Ele vem para a cama por volta da uma ou duas da manhã. Quando vem para a cama, ele sempre dá as costas para mim.

— Estou casada — continua ela —, mas vivo sozinha. Não tenho um parceiro na vida. Ele não tem nenhum interesse no meu trabalho. Não conversamos sobre o futuro. Não falamos sobre trocar de carro. Não conversamos sobre nada.

Gracie percebeu uma ironia dolorosa: Ken parece querer tocar todo mundo, menos ela. Felizmente, ele ainda abraça seus filhos adultos e seus netos. O que não é tão alegre é que ele impõe abraços indesejados a estranhos no mercado e a vendedores homens em lojas de utensílios domésticos. No consultório do médico, ele coloca o braço no ombro dos funcionários. De vez em quando, ele também colocava os braços em volta de mulheres que não conhecia e fazia comentários sexualmente sugestivos a elas. A DFT tirou dele a percepção de saber que seu comportamento é socialmente impróprio e embaraçoso para sua família. Ele não reconhece que sua vida e seu casamento foram alterados pela DFT. Gracie disse que quando perde a paciência com Ken, ele ri e diz para ela: "eu não estou doente. Você é que é a louca".

> "Quero que ele seja responsabilizado, sabendo que ele não pode ser responsabilizado".

Depois de tantos anos de estranhamento físico e emocional da parte de seu marido, o tanque emocional de amor de Gracie está praticamente ressecado — como ela diz, está, no máximo, "em 1, numa escala de 1 a 10".

— Antes de saber do diagnóstico — admite ela —, eu sentia raiva e ódio de Ken. Tinha muito desrespeito por ele. Depois do diagnóstico, ainda sinto alguma raiva. Ainda quero culpá-lo, muito embora saiba que não posso fazê-lo. Quero que ele seja responsabilizado por alguma coisa, sabendo que ele não pode ser responsabilizado.

A EXPERIÊNCIA

Em *As 5 linguagens do amor*, Gary conta a história de uma mulher chamada Ann que se sentia quase do mesmo jeito que Gracie.[8] Seu tanque emocional estava vazio e seu casamento era doloroso. Outros lhe disseram a mesma coisa que Gracie tem ouvido: não tem jeito; largue seu marido. A resposta de Ann foi a mesma que Gracie tem dado:

— Não consigo me convencer disso.

Sentindo-se presa "entre a cruz e a espada", Ann disse:

— Dr. Chapman, simplesmente não sei se posso voltar a amá-lo depois de tudo o que ele me fez.

Gary lhe disse: "Compreendo sua luta. Você está numa situação bastante difícil. Gostaria de lhe oferecer uma resposta fácil. Infelizmente, não posso". Contudo, sabendo que ela era uma mulher de profunda fé pessoal, uma ideia lhe ocorreu.

Aqui está um excerto do livro:

— Vou ler algo que Jesus disse certa vez e que, a meu ver, pode ser aplicado a seu casamento.

Li o texto devagar e pausadamente.

"Mas a vocês que me ouvem, eu digo: amem os seus inimigos, façam o bem a quem os odeia, abençoem quem os amaldiçoa, orem por quem os maltrata. [...] Façam aos outros o que vocês desejam que eles lhes façam. Se vocês amam apenas aqueles que os amam, que mérito têm? Até os pecadores amam quem os ama." [Lucas 6.27-32]

— Isso faz lembrar seu marido? Ele tratou você como inimiga, e não como amiga?

Ela confirmou, acenando com a cabeça.

— Ele já amaldiçoou você?

— Muitas vezes.

— Já a maltratou?

— Constantemente.

— E ele já disse que a odeia?

— Sim. [...]

— Ann, se você estiver disposta, gostaria de fazer uma experiência. Gostaria de ver o que acontece se aplicarmos esse princípio ao seu casamento. Deixe-me explicar o que quero dizer.

Prossegui explicando a Ann o conceito do tanque emocional e o fato de que, no nível baixo, como era o caso dela, não temos sentimentos amorosos por nosso cônjuge, mas simplesmente vivenciamos o vazio e a dor. [...]

— É claro que não temos sentimentos calorosos por pessoas que nos odeiam. Isso seria anormal, mas podemos realizar atos de amor por elas. Isso é uma escolha. Esperamos que tais atos produzam um efeito positivo em suas atitudes, seu comportamento e tratamento, mas pelo menos escolhemos fazer algo positivo por elas.

Embora fosse extremamente difícil, Ann começou a se aproximar de Glenn, seu marido, de modo consistente, utilizando as linguagens do amor. Nos seis meses seguintes, ela viu uma tremenda mudança na atitude de Glenn e na maneira como ele a tratava. De maneira espantosa, seu casamento foi restaurado.

Gary escreveu: "Até hoje, Glenn jura a seus amigos que eu sou um milagreiro. Sei que, na verdade, o amor é que faz milagres. Talvez você precise de um milagre em seu casamento. Por que não tenta colocar em prática a mesma experiência de Ann?".

Quando entrevistamos Gracie para a produção deste livro, os paralelos entre a situação de Ann e a dela ficaram óbvios. A diferença, porém, era gritante: o marido de Ann tinha uma cognição normal; o marido de Gracie tem um tipo de demência que cria indiferença emocional e prejudica tanto a empatia quanto a percepção. Em função disso, seria possível que a experiência de Ann desse certo com Gracie também? Desafiamos Gracie a fazer uma tentativa. Embora estivesse muito ferida por causa da maneira como Ken a tratava, ela concordou em tentar a experiência de qualquer jeito. Nós lhe dissemos que ela não tinha nada a perder.

Gracie se recorda:

— Embarquei nisso com uma atitude negativa, sem esperar nada, ou muito pouco, caso ele viesse a responder. Eu estava desempenhando o papel da "vítima", o que é bem fácil de fazer em meio a essa doença.

Todavia, Gracie começou a mostrar amor deliberadamente a Ken. Ela lhe servia refeições, levava mimos para ele em seu "cantinho", se aconchegava nele na cama e lhe dizia palavras de afirmação. Toda essa bondade era recebida com indiferença ou resistência. Ela manteve um diário, anotando tudo o que fazia, como se sentia em relação àquilo e como Ken reagia.

Depois de alguns dias, houve uma mudança — mas não com Ken. Ela relatou:

É aqui que tudo fica realmente maravilhoso. Depois dos primeiros dias, comecei a ler as anotações anteriores do diário declarando todos os meus atos de serviço, de preparar o café da manhã dele a levar um lanche à noite até o "cantinho dele" antes de eu ir para a cama. Comecei a perceber: "Isso é o que Deus faz por mim todos os dias, e não me é pedido que reconheça seus feitos. Ele me dá presentes simplesmente porque me ama. Isso é tudo: ele me ama". Amo Ken desde que eu tinha 18 anos de idade e agora me ocorreu que eu o estava transformando em um amor *condicional*: se ele não me amar, então caio fora. Comecei a ficar muito animada em mostrar amor *incondicional* a Ken, e ele não é obrigado a reconhecer nada. Comecei a fazer esses atos de bondade por meu prazer e para honrar a Deus. Comecei a me divertir com isso.

HISTÓRIAS DE *HESED*

Agora, olho para coisas no mercado que sei que ele gostaria, como certos biscoitos e chocolates. Todo dia me ofereço para levá-lo aonde ele precisa ir. Digo a ele palavras bondosas com frequência e, na maior parte do tempo, ele não responde e simplesmente sai da sala. Mas a "experiência" não é mais sobre ver se Ken vai expressar amor de volta para mim. Passou a girar em torno do que eu posso fazer para ele que o honre e que, portanto, honre a Deus. Eu mais uma vez vejo o rapaz por quem me apaixonei, o homem que foi tão fiel a sua família por tantos anos. Ainda estou devastada pelo fato de ele ter essa doença terrível, mas entendo cada dia mais os votos que falam "até que a morte nos separe". Enquanto escolho continuar ir até o mundo de Ken, fazer esses atos de serviço e dizer coisas agradáveis me dá prazer e alegria.

Durante as semanas nas quais tenho realizado essa experiência, houve três pequenas respostas de Ken. Uma vez eu estava junto à pia. Ele caminhou até mim e me deu uma beijoca no rosto e saiu. Só isso. Mas isso foi algo ENORME para mim — ele não me beijava havia muitos e muitos anos. Em outra ocasião, ele se inclinou na minha direção e *quase* me deu um abraço. Não houve toque físico, mas chamei aquilo de abraço! Por fim, fomos comer um hambúrguer num lugar perto de casa na semana do dia dos namorados. Dois dias depois ele me perguntou se eu havia gostado do jantar. Eu disse: "Sim, gosto de ir àquele restaurante". Ele disse: "Que bom! Feliz dia dos namorados".

Embora o experimento que havíamos pedido que Gracie fizesse esteja hoje terminado, ela não planeja parar de falar as cinco linguagens do amor para Ken, ainda que ele não tenha nenhuma outra resposta. Ficamos em dúvida: será que Gracie incentivaria outras pessoas a fazerem a mesma experiência?

Ela disse:

— É como vocês disseram: "O que você tem a perder?". Portanto, sim, eu incentivaria outras pessoas a fazerem isso, primeiramente descobrindo qual é a linguagem do amor da pessoa amada e então respondendo com ela diariamente. Creio que nós, como parceiros de cuidado, temos a capacidade de fazer mais por nossos amados do que qualquer médico, remédio ou aconselhamento. Temos a capacidade de tentar alcançar a pessoa de uma maneira sobre a qual a ciência sabe muito pouco, falar a linguagem do amor da pessoa. Muito embora alguns dias possam ser mais difíceis que outros, prometo que será um sucesso, seja para o paciente, para o parceiro de cuidado ou, espero, para ambos, e provavelmente de uma maneira que você jamais tenha imaginado.

7

Vozes da experiência

Experiência não é o que acontece com você;
é o que você faz com o que acontece com você.

Aldous Huxley

Falamos com oito parceiros de cuidado experientes no trato com a demência e os convidamos a participar de um grupo de foco. Na preparação para a reunião, compartilhamos informações com eles sobre as cinco linguagens do amor e pedimos que eles fizessem o teste das linguagens, uma vez para eles próprios, e outra em lugar do cônjuge de quem cuidavam. Além disso, pelo fato de a maioria dos cônjuges estar no estágio intermediário ou avançado da doença de Alzheimer, pedimos a eles que respondessem às três perguntas que aparecem junto dos testes no capítulo 2. Os participantes foram instruídos a combinar essa informação e fazer a melhor suposição sobre a linguagem do amor de seu cônjuge antes da demência. Também chamamos sua atenção para o amor *hesed*, apresentando a eles a mesma definição mostrada no capítulo 2, ou seja, é um amor que:

- age a partir de uma lealdade inabalável;
- é confiável;
- não está relacionado à emoção do romance, mas à segurança da fidelidade;
- intervém em favor do ente querido e vem em seu resgate.

Dissemos a eles: "Sendo parceiros de cuidado experientes cujas opiniões nós valorizamos grandemente, hoje vocês se juntam a nós como coautores".

Os participantes de nosso grupo de foco foram:

Penny, casada por 34 anos com Dennis (diagnóstico: doença de Alzheimer) e sua parceira de cuidado há 7 anos. Linguagem do amor de Penny: *atos de serviço*. Dennis: *Toque físico*.

Troy, casado por 29 anos com Danielle (diagnóstico: doença de Alzheimer precoce) e seu parceiro de cuidado por 9 anos. Linguagem do amor de Troy: *tempo de qualidade*. Danielle: *tempo de qualidade*.

Allen, casado por 57 anos com Daisy (diagnóstico: doença de Alzheimer) e seu parceiro de cuidado por 3 anos. Linguagem do amor de Allen: *palavras de afirmação*. Daisy: *tempo de qualidade*.

JoAnne, casada por 45 anos com Jerry (diagnóstico: demência frontotemporal) e sua parceira de cuidado por 2 anos e meio. Linguagem do amor de JoAnne: *atos de serviço*. Jerry: *presentes*.

Betsy, casada por 38 anos com Brent (diagnóstico: doença de Alzheimer) e sua parceira de cuidado por 10 anos. Linguagem do amor de Betsy: *palavras de afirmação*. Brent: *tempo de qualidade*.

Angela, casada por 35 anos com Henry (diagnóstico: doença de Alzheimer precoce) e sua parceira de cuidado por 2 anos. Linguagem do amor de Angela: *atos de serviço*. Henry: *palavras de afirmação*.

Rick, casado por 10 anos com Stephanie (diagnóstico: doença de Alzheimer) e seu parceiro de cuidado por 5 anos. Linguagem do amor de Rick: *atos de serviço*. Stephanie: *atos de serviço*.

Sarah, casada por 55 anos com Bob (diagnóstico: doença de Alzheimer) e sua parceira de cuidado por 6 anos. Linguagem do amor de Sarah: *atos de serviço*. Bob: *atos de serviço*.

Como esperávamos, a conversa de uma hora e meia com o grupo forneceu muitas contribuições valiosas e sinceras sobre a experiência do cuidado. Embora tenhamos "conduzido" através de algumas perguntas, na maior parte do tempo escutamos, permitindo que a conversa fluísse naturalmente, tocando em uma variedade de tópicos. Sem que os participantes soubessem, alguns de seus comentários espelharam pontos importantes dos capítulos que já havíamos escrito. Outros comentários foram pérolas de sabedoria que só poderiam ter sido faladas por parceiros de cuidado tão experientes quanto eles. Houve momentos de riso, assim como de lágrimas, conforme o grupo apoiava os esforços de cuidado uns dos outros e oferecia seu conselho experiente para leitores sobre a jornada do cuidado.

Abaixo, apresentamos trechos da transcrição de áudio, agrupando comentários por tópicos. Em alguns lugares adicionamos nossos próprios comentários por tópico. Em alguns poucos lugares adicionamos nossos próprios comentários ou reflexões.

"EU TORNO A ME LEVANTAR": O QUE ELES NOS DISSERAM

Lições aprendidas

Penny: Digo a mim mesma todos os dias: "Você precisa lembrar, sua velha, que é mais difícil ser um bebê de 75 anos do que ser a cuidadora de um bebê de 75 anos".

Sarah: No início, eu costumava discutir com Bob. Descobri que não era uma boa ideia. Você precisa escolher as suas batalhas. Agora, se ele diz "isso é azul", quando na verdade é amarelo, eu digo: "Sim, é azul".

Angela: Aprendi que você precisa passar pelo luto de cada mudança. Simplesmente preciso ter alguns dias de tristeza, mas sei que não posso permanecer naquele caminho. Sinto pesar pela nova perda e então eu torno a me levantar e sigo adiante para fazer e ser aquilo de que meu marido precisa.

> "Uma coisa que gostaria de ter aprendido mais cedo é que Brent não consegue se lembrar de que ele não consegue mais se lembrar." (Betsy)

Allen: Levou um tempo até eu aprender que, em vez de levantar minha voz para Daisy porque ela não conseguia encontrar alguma coisa, eu deveria simplesmente sair da sala e ter uma pequena palavra comigo mesmo. Não converso muito comigo mesmo, mas isso funciona muito bem!

Betsy: Uma coisa que gostaria de ter aprendido mais cedo é que Brent não consegue se lembrar de que ele não consegue mais se lembrar. Se eu tivesse isso dentro de mim anos atrás, talvez eu não tivesse tido tantos problemas de saúde, bem como frustração e raiva. Mas é muito difícil manter isso na sua cabeça 24/7/365. E se você simplesmente se der conta disso algum dia, creio que será bastante útil.

A demência muda tudo

Rick: Não tem sentido tentar discutir com seu ente querido. Não tem sentido dizer: "Você não percebe como isso é irritante?" ou "Você não podia ter se expressado mais claramente?" ou ainda "Será que não dá para ser mais compreensivo?". Não faz o menor sentido dizer qualquer uma dessas coisas. A lógica já se foi há muito tempo.

Penny: Ela muda o relacionamento de tal forma que é muito difícil descrever. Existem tantas ironias. Uma delas é que, no exato momento em que o parceiro de cuidado precisa fazer tudo, a pessoa de quem você cuida realmente precisa de mais tempo, mais toque e mais das coisas que não contribuem para que as tarefas da vida sejam completadas.

Sarah: Muito embora meu marido esteja mostrando todo esse amor, ele é simplesmente uma pessoa diferente agora. Ele não é aquele com quem me casei 55 anos atrás.

Se você ficar doente, eles ficam doentes

Sarah: Se tivermos uma conversa, ela sempre volta para ele. Se eu disser: "Não me sinto bem hoje" ou "Estou com uma dor hoje", ele diz: "Sim, eu também estou dolorido". Tudo o que eu digo, ele reflete.

Troy: Se você estiver de mau humor ou doente, eles ficam doentes. Assim, você precisa concentrar sua atenção sempre em estar para cima, feliz, amoroso, pois eles sentem isso. Danielle sente.

Rick: Gostei muito do que você disse, que se há alguma coisa errada com você, eles sempre dizem o mesmo. Se eu disser: "Ai, que dor de cabeça", primeiro percebo um pouco de preocupação:

— O que há de errado? O que você acha que é? Será que é sério?

— Não, não, querida, não é sério.

— Bom, acho que eu sei exatamente como você se sente porque tive uma dor de cabeça há pouco.

Penny: Alguns dos problemas femininos de Dennis estão piorando! (*risos do grupo*). Se você não tiver senso de humor, você simplesmente não consegue.

"Pai e filho"

Rick: É de fato como cuidar de uma criança, uma criança que está constantemente doente, e você não tem nenhum descanso.

Penny: A sensação que tenho é que estou em um relacionamento entre pai e filho. No início dessa jornada, Dennis tentava demonstrar a alguém o quanto ele valorizava tudo o que eu estava fazendo por ele e ele disse: "Ela é como a minha mãe. Ela cuida de tudo". Ele expressou isso da maneira mais bela possível. Mas, preciso dizer, isso caiu como um raio sobre minha cabeça. Então, quando ele fica frustrado ou irritado porque estou tentando ajudá-lo com aquilo que precisa ser feito naquele momento, a coisa muda completamente: "Você não é a minha mãe!". Assim, as coisas vão e voltam.

Betsy: Penso que, à medida que a jornada progride, as coisas ficam mais difíceis para mim porque às vezes me sinto como que abraçando meu filho, e isso é estranho demais.

Rick: Stephanie estava com apenas 49 anos quando foi diagnosticada. Nós entramos muito rapidamente no modo "pai/filha" e a intimidade simplesmente sumiu. Tentei ficar mais próximo, como na cama. Normalmente fico de um lado da cama e ela de outro, e tentei ficar mais íntimo. Tentei segurá-la por mais tempo e ela achou aquilo muito desconfortável.

"Uma parte de você morre com ele a cada dia"

Allen: Desde que me aposentei, oito anos atrás, estou fazendo coisas que nunca pensei que faria e que Daisy sempre fez com diligência. É um ciclo completo, de 360 graus, mudando sua vida para ser um parceiro de cuidado. Às vezes é um dia realmente longo, fazendo coisas que você tem de fazer. Hoje em dia, por exemplo, para ir para a cama, provavelmente gastamos 30 minutos para tirar a calça ou o vestido ou o que

VOZES DA EXPERIÊNCIA

for. É uma verdadeira mudança na sua vida e você precisa se adaptar a ela.

Rick: Um dos maiores problemas é o luto antecipado. Você sabe que as coisas não vão terminar bem e, de vez em quando, isso atinge você. Você tem bons momentos e outros momentos bem ruins, mas sempre há na sua cabeça a ideia de que existe uma grande tristeza à frente e não há como contorná-la.

Sarah: O amor que você dá ao seu ente querido é um tipo muito diferente de amor. Uma parte de você morre com ele cada dia e é difícil; é muito difícil.

Rick: Em sua hierarquia de necessidades, não existe muita oportunidade de as necessidades do nível superior serem atendidas. Tudo gira em torno de basicamente dar vida ao seu ente querido. Foi o que fizemos por nossos filhos. Não há espaço ali para brincadeiras; não há lugar para a alegria. É um tempo totalmente tomado por coisas do tipo necessidade de baixo nível.

> "Você sabe que as coisas não vão terminar bem e, de vez em quando, isso atinge você." (Rick)

Alegria e diversão são coisas que têm apenas pequenas oportunidades, mas não muitas. Grande parte da cor desapareceu da minha vida.

Dar e receber amor por meio das cinco linguagens do amor

Betsy: Uma coisa que está sempre na minha cabeça é que, como parceiros de cuidado, precisamos determinar a linguagem do amor da pessoa a cada instante. Ela muda. Os *atos de serviço* e o *tempo de qualidade* e todas essas coisas podem não ter sido o que eles precisavam antes deste golpe, mas agora precisamos estrar atentos ao momento: qual é a linguagem do amor da pessoa *neste momento*? Ali, na hora, você precisa perguntar:

"O que a pessoa precisa que nós façamos agora para mostrar nosso amor por ela?", porque isso muda.

JoAnne: O *tempo de qualidade* é um pouco diferente agora. Ainda gostamos de simplesmente estar juntos. Não é muito difícil simplesmente ficar junto, mas não há muita conversa agora. É difícil travar um diálogo: "O que você acha disto? O que você acha daquilo?". Isso se foi, mas ele ainda se senta comigo no final da tarde e assistimos ao jornal e a programas de entretenimento.

Angela: Minha linguagem do amor é *atos de serviço* e, por todos esses anos, meu marido foi maravilhoso em cuidar de mim, fazendo coisas por mim simplesmente para facilitar minha vida. Ele ainda é o meu marido, com Alzheimer precoce, e ainda percebe que preciso de *atos de serviço*, mas seus atos de serviço são um pouco diferentes agora. Ele diz: "vou tirar a louça da máquina para você" e não consegue encontrar o lugar das coisas na cozinha. Ele tira a louça da máquina e coloca as coisas em lugares diferentes, em todo lugar, de modo que quando preciso de algo, procuro na cozinha inteira para descobrir onde ele colocou. Mas eu simplesmente aceito o ato de serviço realizado para mim. Não digo: "Você colocou as coisas em lugar errado".

Certo dia, eu não estava me sentindo bem, mas estava passando o aspirador de pó e ele disse: "Você não está bem. Deixe que eu faço isso". Então, percebi que ele não sabe mais como passar o aspirador. Ele pegou o aparelho e o empurrou em um círculo e, então, disse: "Pronto. O chão já está limpo. Você pode descansar agora". Mas ainda é bastante significativo para mim. Embora seja de maneira diferente agora, ele ainda está me mostrando *atos de serviço* e atos de amor que ele ainda pode realizar para mim.

Penny: *Atos de serviço* é uma parte natural de quem eu sou, e penso que isso tem sido assim a minha vida inteira. Contudo, por mais que isso esteja em meu DNA, é surpreendente notar que, às vezes, fica realmente difícil alegrar-se por ser aquilo que você é naturalmente com a pessoa a quem você mais quer servir. Uma das minhas lutas interiores, sendo bem honesta comigo mesma, é que às vezes eu simplesmente tento ficar alheia a tudo, e isso faz com que ser útil para alguém se torne ainda mais difícil. Penso no que isso significa para ele, como ele pode se sentir assim, e isso coloca uma camada adicional de culpa.

Allen: Daisy vem até mim, simplesmente me encara e diz: "Obrigada. Obrigada por ter tanto cuidado comigo" *(Nota: isso é bastante significativo para Allen, porque Daisy está falando a linguagem do amor primária de Allen, que* é palavras de afirmação.*)*

Intimidade relacional

Rick: Toda vez que Stephanie me agradece por alguma coisa, eu devolvo o agradecimento. Ou se ela diz: "Não conseguiria sem você; não sei viver sem você", eu digo: "Querida, eu também não conseguiria viver sem você. Simplesmente não posso me imaginar vivendo sem você. Eu a amo demais".

Gary Chapman: Rick, eu diria que essa é uma expressão mútua de intimidade. Isso é intimidade relacional em ação. Pode ter uma aparência diferente de como era a intimidade quando vocês eram recém-casados e ela não tinha essa doença horrível.

Betsy: Assim como Rick mencionou, o tipo de intimidade que tínhamos antes em nosso casamento acabou. É um tipo diferente de intimidade e pode ser simplesmente a maneira como nos importamos com eles, intervindo em favor deles.

Compaixão por um cônjuge que "não é capaz de fazer nada"

Penny: Dennis tenta fazer alguma coisa, talvez tirar fotografias, mexer no computador ou na televisão, e bagunça tudo. Então ele diz: "Não passo de um inútil". Nesse momento, você precisa lidar com a dor no coração de saber que não sabemos o que se passa na cabeça deles.

Sarah: Bob sempre volta para a frase: "Sou muito burro. Não sou bom para ninguém" e me diz isso com bastante frequência. Então preciso encorajá-lo e dizer: "Você é útil".

Betsy: Brent construiu uma cabana de toras do zero para nós. Ele era um ótimo carpinteiro e sabia como assentar pedras, mas nunca estudou nada disso a vida inteira. Ele odiava ler, mas lia apenas para aprender como fazer uma coisa. Agora, ele não consegue sequer bater com o martelo em um prego. Às vezes ele tenta fazer alguma coisa assim e é então que consigo enxergar a tristeza dentro dele. Às vezes ele simplesmente começa a chorar. Assim como alguém disse agora há pouco, ele se sente inútil. A coisa mais difícil para mim é quando ele de fato percebe que não é capaz de fazer nada.

Rick: Stephanie está sempre perguntando: "O que eu posso fazer?". O problema é que ela fica muito frustrada quando não consegue fazer. Ela fica muito agitada e sente náusea. Assim, em grande parte do tempo, tento dizer a ela: "Querida, por favor, sente-se e relaxe por um instante". Para alguém como ela, tão proativa, profissional e que tinha orgulho de sua casa, é simplesmente devastador ver-se nessa situação. Felizmente, ela não tem muitos momentos nos quais percebe exatamente o que aconteceu. Ela tem períodos de clareza, mas eles não duram muito tempo. Ela simplesmente se acaba em choro toda vez que pensa no que está perdendo e no que já perdeu. É a coisa mais difícil que já fiz em meus sessenta e tantos anos nesta terra.

JoAnne: Isto é diferente do que vários de vocês já mencionaram, mas Jerry parece não ter consciência de sua situação, de modo que ele não fica frustrado. Pelo menos ele não expressa para mim se está se sentindo frustrado ou chateado com alguma coisa.

Nossa constatação: Os pacientes com demência que preservaram a percepção podem ficar bastante frustrados diante de sua incapacidade de realizar coisas, o que, por sua vez, parte o coração do parceiro de cuidado. Isso nos faz lembrar de um princípio muito importante do cuidado, especialmente ao se cuidar de uma pessoa com a percepção preservada: até onde for possível, ciente de que isso exige muita paciência, faça as coisas com a pessoa com demência, e não por ela.

Quando a percepção não está preservada, como no caso de Jerry (que tem demência frontotemporal), os parceiros de cuidado consideram isso uma bênção. Ed disse: "É comum eu perguntar a Rebecca se ela está feliz ou se está tendo um bom dia. Quase sem falhar, ela diz que sim, normalmente com um movimento afirmativo da cabeça e um sorriso. Nesses momentos eu agradeço a Deus o fato de ela ter sido poupada das emoções negativas que acompanhariam a percepção de sua doença, como tristeza, medo e ira. Em seu estágio atual da doença, ela verbaliza bastante, mas é impossível entender 99% do que ela diz. Se ela se lembrasse de que foi uma patologista da fala, penso que a incapacidade de se comunicar seria algo que ela teria dificuldade para aceitar".

Humor

Sarah: Bob vai à creche de adultos duas vezes por semana e, numa sexta-feira, ele decidiu que precisava se arrumar. Quando chegou em casa, ele disse: "Preciso mudar de roupas". Ficou lá dentro por bastante tempo. Quando saiu, disse: "Estou bem arrumado?". Ele estava usando uma das minhas calças capri com sapato social e meias pretas. Tudo o que pude fazer foi me conter. Não sei como ele pegou minha calça. Eu tive de rir! Algumas coisas são simplesmente muito engraçadas e você precisa rir delas, pois elas nunca mais acontecerão na vida.

JoAnne: Jerry tem aquelas pequenas alucinações. Há uma pessoa, o Pete, que fica com ele nos dias em que cuido da nossa neta. Jerry ficava dizendo a Pete que tinha certeza de que eu voltaria para casa trazendo um automóvel da marca Jeep. Ficou sentado na sala da frente olhando pela janela, esperando que eu trouxesse um Jeep para casa. O Pete normalmente o leva no final da tarde à casa do nosso filho onde fiquei cuidando de nossa neta. Naquele dia, porém, Jerry não queria sair de casa. Assim, Pete me ligou e disse: "Jerry não vai sair hoje porque ele acha que você vai voltar para casa ou com um Jeep ou com um Corvette vermelho".

Não faço ideia de onde isso surgiu e não vou parar numa concessionária de automóveis! Ele mencionou isso de novo nesta manhã. Disse: "Acho que estou ouvindo meu presente subindo a ladeira". Ele continua achando que vai ganhar um carro, e eu fico esperando que alguém nos dê um bilhete de loteria premiado!

O QUE AJUDA VOCÊ A "CONTINUAR SEGUINDO EM FRENTE"?

Grupo de apoio

JoAnne: Este grupo de apoio tem sido um ótimo recurso. Não sei se todos têm a oportunidade de fazer parte de um grupo. Todos vocês têm me ajudado.

Angela: Para mim, tem sido muito bom participar deste grupo de apoio. Meu marido ainda está nos estágios iniciais e Penny me disse certa vez: "É difícil para você ouvir os outros falarem sobre os cônjuges que estão mais adiante na doença ou algumas de nossas dificuldades?". Não, eu acho muito útil ouvir de todos vocês, de modo que, quando eu chegar nesse ponto, já terei palavras de sabedoria. Este grupo de apoio me tem sido muito útil dessa maneira.

Betsy: Muito embora estejamos neste grupo sozinhos, estamos fazendo isso para que possamos ser parceiros de cuidado melhores para eles.

Sarah: Um grupo de apoio é simplesmente maravilhoso. Não sei o que faria sem este grupo.

Ajuda de outros

Sarah: É impossível fazer tudo sozinha e aprendi a não ter medo de pedir ajuda de outras pessoas. Essa foi uma das coisas mais difíceis porque sempre fui uma doadora, fazendo coisas pelos outros. Você precisa aceitar que, como parceiro de cuidado, não consegue fazer tudo sozinho. Peça ajuda quando precisar.

Penny: É comum as pessoas quererem ajudar, mas elas não têm ideia do que fazer. Pensar no que ajuda a encher meu tanque de amor é uma maneira de introduzir o assunto. Há muitas pessoas que podem vir e varrer o chão, mas o que eu realmente preciso é saber que Dennis está bem e que posso sair por um tempo. Assim, para mim é importante dizer a alguém o que preciso.

Aprendizado

Angela: Penso que conhecimento é poder. Para mim tem sido muito importante aprender o máximo que posso sobre essa doença.

Fé

Angela: Minha fé — não teria conseguido passar pelos dois últimos anos sem a paz que vem do meu Salvador.

Sarah: A coisa mais forte que tenho é a minha fé. Volto-me para a Palavra de Deus todos os dias porque ela me dá força para ser cuidadora, e assim sei que não estou sozinha. Sei que Deus está ao lado e que me ajuda.

Cumprir a promessa

Betsy: A primeira coisa que me vem à mente são os votos conjugais que fiz ao meu marido. Nós dissemos "na alegria ou na tristeza" e isso é obviamente uma tristeza. E vamos ser leais. Devemos estar ao lado deles, e eles contam com isso.

As pequenas coisas

Troy: Aquela pequena frase que a pessoa diz a você, talvez nem seja uma sentença completa, mas significa algo — é simplesmente doce. Portanto, apegue-se a essas pequenas coisas e as use como motivação.

Escolhendo hesed

Ed, falando a Rick: Você e Stephanie estão casados há 10 anos, mas você estava na casa dos 50 e ela na dos 40 quando se casaram. Este é o seu segundo casamento e é o primeiro dela. Vocês tiverem menos anos de casados do que a maioria dos que estão aqui. Foi mais difícil para você suportar? Uma vez que seu segundo casamento foi tão diferente, você acha que consegue suportar?

Rick: Num primeiro momento, pensei em ligar para os pais de Stephanie e lhes dizer: "Sua filha está seriamente doente. Não consigo lidar com isso. Vocês podem vir e levá-la de

VOZES DA EXPERIÊNCIA

volta?". Pelo pouco relacionamento que tive com eles, sabia que eles eram velhos demais e sabia que os irmãos dela não se importavam, de modo que ela de fato não tinha mais ninguém.

Ela não era uma pessoa fácil quando nos casamos, mesmo antes de ficar doente, mas penso muito em qual foi o início de sua doença. Teria sido muito fácil eu dizer: "Simplesmente não consigo. O retorno do meu investimento emocional foi muito ruim".

De fato acredito que nosso amor ficou mais forte por conta dessa doença. Ela se tornou como uma criança para mim, uma criança que amo, e uma pessoa pela qual eu faria qualquer coisa. O ato de cuidar

> "Acredito que nosso amor ficou mais forte por conta dessa doença. Ela se tornou como uma criança para mim, uma criança que amo, e uma pessoa pela qual eu faria qualquer coisa." (Rick)

de fato ameaçou minha saúde. Tem sido um sacrifício incrível. Alguns membros próximos de minha família faleceram e não pude ir ao funeral deles porque ela não pode mais viajar. Muitos sacrifícios, mas eu simplesmente a amo muito, muito mesmo. Eu a amo como minha esposa, eu a amo na forma infantil em que ela se encontra agora. Sou muito feliz por nunca ter seguido meus primeiros pensamentos e por não ter desistido.

Encontrar sentido no cuidado do paciente com demência

Penny: Percebi, há não muito tempo, que eu estava muito feliz por isso ter acontecido com Dennis e não comigo, pois não creio que ele seria capaz de suportar essa dor de cabeça. Simplesmente acho que ele não conseguiria, mas eu vou passar por isso de alguma maneira. Soube então que o amava mais do que já havia amado antes e eu nunca seria capaz de dizer isso, mas

MANTENHA VIVO O AMOR ENQUANTO AS MEMÓRIAS SE APAGAM

esperava que ele pudesse sentir. Penso que crescemos com tudo isso. Penso que é a melhor parte de nós mesmos. É realmente a coisa mais importante que faremos.

Sarah: Deus dá diferentes dons a diferentes pessoas. Você para e pensa nisto: não é esse o dom que ele me deu, o do cuidado? Não consigo me imaginar fazendo outra coisa em minha vida neste exato momento senão cuidar do Bob.

Troy: Vejo em todos os aspectos que cada um de nós mencionou que mostramos nosso amor ao tentar apoiar nossos queridos, servindo de advogados deles no consultório do médico, certificando-nos de que estejam vestidos adequadamente antes de sair. Como você disse, Sarah, se nós estivéssemos no lugar deles, eles fariam isso por nós, talvez até melhor.

Posso compartilhar uma citação de um livro do qual gosto muito? É uma citação do livro *Thoughtful Dementia Care: Understanding the Dementia Experience* [Cuidado atencioso da demência: entendendo a experiência da demência]: "Alguns cuidadores disseram que achavam que seu cônjuge teve demência porque eles, os cuidadores, estavam sendo punidos por Deus. Quando a demência está em sua família, ela pode ser vista, em vez disso, como um presente divino para ensinar o cuidado plenamente altruísta".[1] Penso muito na última frase. Poderíamos olhar para a doença como se estivéssemos sendo punidos ou poderíamos virar ao contrário e pensar nela como sendo a nossa maneira de mostrar amor altruísta. Creio que é isso o que todos nós fazemos.

> "Nos primeiros estágios, eles perguntam uma coisa muitas, muitas e muitas vezes. Lembre-se disso, porque um dia, no meio da estrada, você não vai mais ouvir a voz deles." (Troy)

Lembranças

Angela: Ainda consigo ver o amor nos olhos do meu marido e o amor em seu sorriso, diante da coisa mais simples que possa ser. Esse sorriso vai significar um mundo para mim, de modo que quero realmente me apegar a essa lembrança à medida que ele avança. Nós nos apegamos a qualquer coisa pequena que nos ajude a ainda ter uma parte deles e de quem eles eram ou são para nós.

Troy: Nos primeiros estágios, eles perguntam uma coisa muitas, muitas e muitas vezes. Lembre-se disso, porque um dia, no meio da estrada, você não vai mais ouvir a voz deles.

Fechamento

Ed, falando para Gary: Uma das metáforas que mais me tocaram do livro *As 5 linguagens do amor* foi a ideia de um tanque emocional de amor. Quando um casal vem para aconselhamento, seu tanque emocional de amor costuma estar cheio de buracos. Penso que a mesma metáfora se aplica aos parceiros de cuidado, exceto pelo fato de que um pequeno orifício talvez seja um rombo. Alguns dos membros de nosso grupo falaram bem claramente do vazio do tanque e sobre como é difícil mantê-lo cheio. Será que você poderia compartilhar seus pensamentos, em função dos muitos anos de experiência sobre essa noção agora que você está conosco em alguns grupos de apoio?

Gary: Um de meus pensamentos é que todos nós, seja qual for o estágio da vida, temos uma necessidade emocional de nos sentirmos amados pelas pessoas mais importantes de nossa vida. Se você se sentir amado por uma pessoa significativa, seu tanque de amor fica cheio, a vida é bela e você consegue processar as coisas muito bem. Se o tanque de amor estiver vazio, e se você sentir que ninguém se importa de fato, a vida pode parecer bem sombria. Penso que grande parte do comportamento impróprio das pessoas costuma surgir a partir do fato de que seu tanque de amor esteja vazio. Seu comportamento ruim é um esforço para encher o tanque de amor.

Em sua situação atual, vocês não estão recebendo uma medida plena de resposta amorosa da pessoa mais significativa da vida de vocês, que é seu cônjuge. Mas existem outras pessoas significativas em sua vida: filhos, seus pais que talvez ainda estejam vivos, ou até mesmo um amigo ou dois. Penso que muitas pessoas, particularmente de seu círculo mais próximo de amigos, realmente querem ajudar, mas talvez não saibam como fazê-lo. Creio que pode ser valioso você compartilhar o conceito das linguagens do amor com as pessoas significativas de sua vida e dizer: "faça o teste e me diga qual é a sua linguagem do amor; eu vou fazer o teste e lhe dizer qual é a minha".

Se eles tiverem informações sobre o que fazer para que você se sinta amado, será mais provável que eles façam isso. Se eles souberem, por exemplo, que sua linguagem do amor é *tempo de qualidade*, eles podem ligar para você com mais frequência e dizer algo como "posso levar você para almoçar ou posso ir à sua casa para conversarmos um pouco?". Se você compartilhar o conceito das linguagens do amor com seu círculo de pessoas significativas, isso pode melhorar os relacionamentos entre todos. Não apenas o seu, mas os deles também.

O outro destaque que quero dar sobre as linguagens do amor nos relacionamentos comuns é que podemos receber amor em todas as cinco linguagens; todos nós podemos. Você distribui fortes doses da sua linguagem do amor primária e então salpica um tanto das outras quatro, como que concedendo um crédito adicional. Seja qual for o estágio da demência, todas as cinco linguagens podem ser significativas para uma pessoa. Mas se você puder refletir em qual pode ser a linguagem primária da pessoa, essa linguagem pode ainda ser bastante significativa para ela, dependo do estágio da doença em que ela se encontra.

8

A jornada que ninguém quer fazer

Quando já não somos capazes de mudar
uma situação, somos desafiados
a mudar a nós próprios.

VIKTOR FRANKL, *EM BUSCA DE SENTIDO*

UMA PALAVRA DE ED

"Está como está"

Aqueles que estiveram com Rebecca em sua jornada do comprometimento cognitivo leve e da doença de Alzheimer reconhecem essas palavras, que ela costumava dizer em resposta a perguntas do tipo: "Como está o seu cérebro?" ou "Como você está?". Costumo pensar sobre o que ela diria em relação aos últimos nove anos de sua vida, o que um diário poderia ter refletido caso ela tivesse sido capaz de manter um. Ela não teria perguntado: "Por que eu?". Em vez disso, ela teria dito: "Por que não eu?", assim como dissera ao enfrentar outras provações em sua vida.

Embora alguns possam dizer que "Por que não eu?" seja um ato de fé cega, para Rebecca seria uma declaração de confiança em Deus feita de olhos bem abertos. Ela falaria sobre ficar brava e triste. Rebecca odiava sua doença de Alzheimer e lutou em todos os passos da caminhada. Ela não gostava de dizer "a palavra com A". Isso a fazia se lembrar de quem ela não era, em vez de

A JORNADA QUE NINGUÉM QUER FAZER

pensar em quem ela era naquele momento. Sendo uma pessoa que preferia um mundo ordenado, a desorganização progressiva, até mesmo o caos que a doença causou, era uma imensa frustração para ela, especialmente no início. Ela ficaria feliz se uma perda de percepção tivesse acompanhado a perda da função, e teria visto isso como uma parte misericordiosa de sua doença. Contudo, mais do que brava, ela teria ficado triste. Triste por não poder envelhecer comigo, triste por não ver todas as suas filhas crescidas e atingindo seu potencial máximo. Ela ficaria triste por não poder ver o mesmo acontecer com seus netos.

Rebecca tinha muito amor por crianças. Segurar um bebê chorando, fosse dela ou de outas pessoas no berçário da igreja, caminhar e embalá-lo sussurrando um gentil "shhhh!" até que adormecesse em seus braços, era o que ela amava fazer, talvez mais do que qualquer outra coisa no mundo. Ela ecoaria uma palavra de agradecimento de que fora capaz de tocar a vida de seus netos Paul e Isaiah. Eles certamente tocaram a vida dela.

Talvez mais do que qualquer outra coisa, Rebecca expressaria gratidão pelo amor e pelo cuidado compassivo que recebeu de sua família, dos amigos e das cuidadoras, por não ter sido um fardo, mas, em vez disso, a recipiente de *hesed*, o amor intencional e sacrificial daqueles cuja vida ela tocou com seu espírito gentil e que, em retorno, serviram a ela com um contentamento triste. Ela também se sentiria tocada pelo fato de sua jornada da doença de Alzheimer ter tocado tantas vidas, sendo um encorajamento para outras pessoas diagnosticadas com demência, dando testemunho de que uma vida pode ter significado, que há muito a ser dado, mesmo em face de uma doença neurodegenerativa incurável.

Tal como Rebecca, também aprendi a confiar em Deus. A melhor maneira de explicar isso é a metáfora do automóvel.

MANTENHA VIVO O AMOR ENQUANTO AS MEMÓRIAS SE APAGAM

Um carro possui tanto o para-brisa, para olhar através dele quando estamos dirigindo para frente, quanto um espelho retrovisor, para mostrar o que está atrás. Quando olho pelo retrovisor e vejo a vida que compartilhei com Rebecca, da doçura de nosso relacionamento à alegria de nossas filhas e agora netos, minha reação é de gratidão, reconhecendo que as coisas boas da vida são de fato uma bênção vinda de Deus. Olhando através do para-brisa, na direção do que está adiante, vejo uma estrada sinuosa repleta de curvas, escuridão e incerteza. É a jornada pelo caminho que não foi escolhido. Meu coração me diz que o Deus a quem louvo ao olhar pelo retrovisor é um Deus bom, enquanto que questiono o caráter e o poder do Deus que está adiante. Minha cabeça diz que não podem ser dois deuses, um bom e um ruim, mas que é apenas um, o mesmo. Foi a partir dessa luta que minha fé foi fortalecida. O substantivo confiança deu origem ao verbo confiar. E, tal como Rebecca, tenho visto o bem surgir dessa jornada dela com a doença de Alzheimer. Minhas filhas Erin, Leah e Carrie e eu estamos mais próximos do que nunca. Aprendemos a apoiar uns aos outros. Dependemos uns dos outros. Também foram fortalecidos outros relacionamentos, com membros da família, amigos e colegas de trabalho. O amor deles tem sido derramado de maneira voluntária e abundante.

O Programa de Aconselhamento de Memória, agora um programa da Wake Forest Baptist Health, não existia cinco anos atrás e não existiria se Rebecca não tivesse desenvolvido a doença de Alzheimer. Este programa de aconselhamento atende hoje centenas de indivíduos, casais e famílias impactados pela demência por meio de sessões de aconselhamento e grupos de apoio. Nós (Debbie, Gary e eu) esperamos que este livro e as cinco linguagens do amor sejam recursos valiosos para aqueles que se veem no meio daquilo que frequentemente tem a aparência de um lugar escuro e solitário, quer seja a pessoa com demência, seu parceiro de cuidado ou alguém que tenta entender para poder ajudar. Finalmente, esperamos que você, o leitor, encontre *shalom*, a palavra hebraica para paz, através destas palavras que foram moldadas pelas experiências daqueles que seguem pela jornada da demência.

UMA PALAVRA DE DEBBIE

Eu não esperava que a experiência de escrever este livro me transformasse, mas foi isso o que aconteceu. Fui profundamente tocada pelo amor sincero e altruísta dos parceiros de cuidado incríveis que passei a admirar tanto. O amor leal, suas lágrimas, sua honestidade profunda em relação às suas lutas e seu bom humor apesar de tudo me mostraram de que maneira, em comparação, eu amo tão pouco. O exemplo desses parceiros de cuidado me desafia a fazer um trabalho melhor em amar minha família, amigos e todos que cruzam o meu caminho, especialmente aqueles que são mais difíceis de serem amados: aqueles que não têm desejo ou capacidade de me amar em retribuição. Sendo uma pessoa de profunda fé em Deus, há muito sei da importância de amar os outros, mas esses parceiros de cuidado agora me inspiram e me motivam a levar o amor a um nível mais elevado. A história de Gracie, em particular, me mostrou que quando o amor é verdadeiramente dado de coração, mesmo quando aquele amor é menosprezado ou não é retribuído, o doador encontra satisfação e às vezes até mesmo alegria. Ela é a prova viva de que todos nós precisamos tanto receber quanto dar amor.

Muitos parceiros de cuidado dizem que não há nada de extraordinário em seu amor sacrificial e no cuidado leal que têm por seu amado. Eles dizem que estão apenas fazendo o que sabem que seu amado teria feito por eles se os papéis fossem invertidos. A abnegação é um estilo de vida para eles agora. A maioria deles, porém, não começou com essa mentalidade. Para muitos, tudo começou como uma jornada de lágrimas, temores e momentos de desespero, alimentada pela sua coragem e força de vontade inabalável de continuar caminhando pelo desconhecido. Eles não desistiram; eles optaram por permanecer e continuam firmes, auxiliados pelo amor e pela lealdade.

Assim como um músculo fica um pouco mais forte cada vez que um peso é levantado, passei a acreditar que, à medida que os parceiros de cuidado optam pela coisa difícil — amar intencionalmente, mais e mais, embora isso possa ser imperceptível —, eles são lentamente transformados de maneira positiva. É certo que todo parceiro de cuidado que conheço tem dias bons e dias não tão bons enquanto continuam na luta diária do cuidado; nem todos fazem isso com perfeição e nenhum deles diria que a "alcançou". Contudo, aqueles que já estão há bastante tempo na jornada como parceiros de cuidado não são as pessoas que foram um dia. Por causa da doença que invadiu a vida deles e mudou o rumo de tudo, eles são, paradoxalmente, *melhores* agora do que antes — mais fortes, mais confiantes, mais pacientes e mais resilientes. Mas nem sequer um deles escolheu esse caminho. Ninguém o escolheria; a demência é verdadeiramente uma jornada que ninguém quer fazer.

Como educadora na área de saúde e também promotora de saúde, também penso na jornada da demência em seu contexto mais amplo, ou seja, a epidemia de Alzheimer que está crescendo ao nosso redor. Atualmente, 5,4 milhões de norte-americanos têm DA.[1] Pelo fato de a idade avançada ser o maior fator de risco, agora que os *baby boomers* estão ficando idosos e as pessoas estão vivendo mais tempo do que antes, o número de pessoas com DA só tende a subir. Se uma cura não for encontrada até 2050, estima-se que, naquele ano, 13,8 milhões de norte-americanos terão a doença, com outras estimativas chegando até 16 milhões.[2] Se essas previsões se concretizarem, o custo com o cuidado para a DA e outras demências, atualmente em 236 bilhões de dólares anuais, também subirá grandemente. As projeções para 2050 colocam o custo em mais de 1 trilhão de dólares.[3]

Como o país responderá a esse *tsunami* de pacientes com demência?

Se os leitores levarem apenas uma mensagem deste livro, espero que seja esta, nas palavras do pesquisador citado no capítulo 4: "A vida emocional de um paciente com Alzheimer está ativa e bem". Espero também que tenhamos mostrado que isso é verdadeiro mesmo quando a conduta de uma pessoa nos leva a uma conclusão diferente. À luz disso, é incrivelmente triste a constatação de que atualmente, conforme mencionado no capítulo 3, cerca de metade dos pacientes com demência sofrem abuso ou são maltratados. Está bem claro que pouquíssimos parceiros de cuidado são altruístas, amorosos e inspiradores como os que encontramos durante a preparação deste livro. A pergunta perturbadora que precisa ser feita é: se o número de pacientes triplicar em 2050 conforme previsto, que segurança eles terão? O conhecimento disseminado de sua consciência emocional será suficiente para garantir que eles sejam tratados com bondade e de uma maneira que preserve sua dignidade? Ou o custo exorbitante e o imenso volume de pacientes vão sobrecarregar o sistema de saúde e esgotar a sociedade como um todo, a ponto de as pessoas com demência serem desvalorizadas e seu bem-estar colocado em risco?

Por todos os capítulos deste livro, a palavra *hesed* tem sido um tema recorrente. Usamos essa palavra para descrever o "padrão áureo" do cuidado em demência — o amor leal, misericordioso e intencional que intervém em favor dos entes queridos e vem em seu auxílio. Na antiguidade, a palavra hebraica era usada para descrever o amor do próprio Deus pela humanidade. Nunca houve um amor maior do que a *hesed* de Deus, e é o amor dele, disseram muitos parceiros de cuidado, que os capacita a amar tão bem a pessoa sob seus cuidados.

Se uma cura não for encontrada, é certo que a demência continuará a esgarçar a tapeçaria de uma família atrás da outra nos anos futuros. Como nação e como comunidade, devemos começar a pensar agora de maneira proativa sobre como vamos proteger, legislar e defender com compaixão os milhares que estiverem na jornada da demência. Se não aceitarmos nada menos que *hesed* como nosso princípio norteador e se o fizermos coletivamente, o etarismo, os maus-tratos e o abuso não encontrarão lugar na epidemia que se mostra adiante.

Não consigo pensar em maior legado deste livro do que ajudar a criar esse tipo de futuro para todos aqueles que estão na jornada da demência.

APÊNDICE A

40 maneiras de dizer "eu amo você" nos estágios intermediário e avançado da demência

Uma pesquisa realizada por Logsdon e Teri[1] sugere que existem 20 "atividades prazerosas" das quais as pessoas com demência gostam. Combinamos essas atividades com uma lista extraída de *Creating Moments of Joy*,[2] de Jolene Brackey, e adicionamos algumas de nossas próprias ideias. Abaixo, agrupamos todas essas sugestões dentro do contexto das cinco linguagens do amor. Quando tiver oportunidade, deixe a lista guiar você em formas criativas de expressar amor. Lembre-se de que quanto mais avançada uma pessoa estiver na doença, mais simples devem ser as expressões de amor demonstradas a ela.

ATOS DE BONDADE (ATOS DE SERVIÇO)

- Olhe nos olhos da pessoa enquanto ela fala com você, sem se importar com o que ela diz ou como diz.
- Inclua a pessoa nas conversas (em vez de falar sobre ela, como se não estivesse presente).
- Deixe a pessoa ajudar na cozinha, nas coisas da casa, onde e quando ela quiser contribuir.
- Ajude a pessoa a se arrumar (fazer maquiagem, pentear o cabelo, fazer a barba, escolher a roupa).
- Defenda a pessoa.

- Sorria para ela ao chegar e ao partir.
- Pessoas com DA têm problemas para tomar decisões, mas se sentem depreciadas se não lhes for permitido participar em decisões que as afetam. Assim, deixe que elas escolham entre duas opções que você tenha pré-aprovado (camisa vermelha ou camisa azul).
- Quando a pessoa se queixar ou tiver ilusões, mostre simpatia ("sinto muito por isso ter acontecido") e então, gentilmente, distraia a pessoa com algo agradável.
- Deixe que ela esteja certa.

PALAVRAS DE AFIRMAÇÃO

- Diga: "eu amo você".
- Responda toda pergunta repetida como se tivesse sido feita pela primeira vez.
- Converse com a pessoa (ainda que ela não consiga conversar de volta) sobre a vida dela, seu crescimento, casamento, filhos, netos, trabalho e *hobbies*.
- Diga que ela está bonita (mesmo que a roupa seja a mesma que a pessoa usou ontem e esteja suja).
- Ajude a pessoa a escrever uma carta ou um cartão e a assinar.
- Cante para a pessoa dormir.
- Diga a ela que você já cuidou de tudo.
- Diga à pessoa que você tem orgulho de tudo o que ela já realizou na vida.
- Faça elogios relativos à pessoa na frente de outros presentes.

RECEBER PRESENTES

- Dê um pedaço de chocolate, uma casquinha de sorvete, um biscoito ou qualquer outra coisa que a pessoa goste.

APÊNDICE A: 40 MANEIRAS DE DIZER "EU AMO VOCÊ"

- Dê à pessoa um pacote surpresa para que ela abra.
- Envie um cartão à pessoa pelo correio.
- Dê à pessoa um tocador de MP3 com músicas dos anos de sua adolescência ou juventude.
- Dê à pessoa um livro de colorir juntamente com algumas canetas ou lápis de cor.
- Seja generoso com o presente do seu tempo.

MOMENTOS DE QUALIDADE (TEMPO DE QUALIDADE)

- Leia para a pessoa ou, se ela conseguir, peça que ela leia para você ou para um neto.
- Recorde os velhos tempos e eventos importantes da história enquanto você olha um álbum de fotografias ou um filme da família.
- Assista a um filme favorito muitas e muitas vezes.
- Faça um passeio de carro.
- Faça alguns biscoitos.
- Dê gargalhadas — talvez a pessoa acompanhe.
- Pintem juntos um livro de colorir ou façam um quebra-cabeça.
- Conte histórias.

TOQUE FÍSICO

- Segure a mão da pessoa e dê uma caminhada.
- Dê um abraço (e beije, se for adequado).
- Sente-se perto e segure a pessoa se ela estiver com medo, irritada ou agitada.
- Massageie os pés ou as costas da pessoa ou dê toques gentis na bochecha dela.

- Deixe que a pessoa segure um bebê, um filhote ou uma boneca.
- Lixe e/ou pinte as unhas das mãos ou dos pés.
- Dance ou mova-se de acordo com a música junto com a pessoa.
- Massageie as mãos e os braços da pessoa com loção.

APÊNDICE B

Para saber mais

Lobos do cérebro (capítulo 4)
Ligação (capítulo 5)
Demências não Alzheimer (capítulo 6)

LOBOS DO CÉREBRO[1,2]

O cérebro é altamente complexo. Conforme mencionado no capítulo 4, nenhuma área do cérebro trabalha de forma isolada. Tenha isso em mente ao considerar as funções específicas de cada lobo do cérebro descritas a seguir. Cada lobo é um componente vital da intrincada rede cerebral de neurônios interconectados (as células nervosas).

Os lobos frontais: O centro do gerenciamento

Os lobos frontais compreendem o centro de gerenciamento do cérebro. Esses lobos governam as funções do cérebro que caracterizam os diferentes aspectos da personalidade humana, incluindo:

- Controle de impulsos
- Comportamentos sociais (muitos dos quais são baseados em nossa moral e valores)
- Motivação
- Raciocínio
- Julgamento

- Percepção
- Função executiva

A função executiva inclui a capacidade de prestar atenção, concentrar-se, continuar uma tarefa, planejar, resolver problemas e a multitarefa. "As funções executivas são as mais complexas das funções biológicas do universo conhecido", escreveu o dr. J. Riley McCarten. "Quase metade do cérebro — os lobos frontais — é dedicada às funções executivas."[3] Os lobos frontais também estão envolvidos em expressão da linguagem, controle de movimento, olfato, apetite e paladar. Esses lobos também abrigam os neurônios-espelho. "Os neurônios-espelho são os responsáveis por fazer você se sentir triste quando outra pessoa está chorando", explica a dra. Christina Hugenschmidt. "Eles capacitam você a assumir a perspectiva da outra pessoa — a ter empatia. Empatia significa que posso notar alguma coisa e dizer 'ela gostaria de tal coisa', o que significa que você é capaz de pensar na questão a partir da perspectiva da outra pessoa."

O dano a diferentes partes dos lobos frontais resulta em vários problemas. Quando a área de Broca, no lobo frontal esquerdo, é danificada, uma pessoa tem dificuldades com a expressão verbal. Se a parte mediana do lobo frontal for danificada, a pessoa se torna apática e desmotivada, o que pode se parecer com uma depressão, mas não é. Se a parte frontal for danificada, ocorre a desinibição, deixando a pessoa propensa a discutir, xingar ou fazer coisas socialmente impróprias, sem a percepção para entender que aquilo que ela disse ou fez é embaraçoso ou inadequado.

Os lobos temporais: O centro de memória e emoção
Os lobos temporais ocupam a metade inferior do cérebro, por baixo das têmporas e se estendendo para trás, na direção das

APÊNDICE B: PARA SABER MAIS

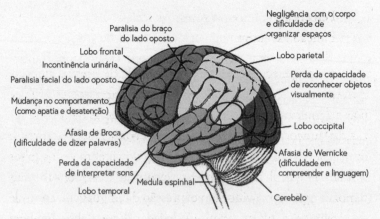

Quando áreas específicas do cérebro são danificadas

Do Manual Merck, Versão do Consumidor (conhecido como o Manual Merck nos EUA e Canadá e Manual MSD no resto do mundo), editado por Robert Porter. Copyright 2015 por Merck Sharp & Dohme Corp., uma subsidiária da Merck & Co., Inc, Kenilworth, NJ. Disponível em http://www.merckmanuals.com/consumer. Acessado em 3 de fevereiro de 2016.

orelhas, em ambos os lados da cabeça. Esses lobos são importantes para a memória, para a integração da fala e da audição e para a compreensão da linguagem.

Existe um hipocampo em cada lobo temporal. Os hipocampos são importantes para formar e armazenar novas lembranças e para recuperar lembranças de longo prazo, de modo que nos ajudam a aprender informações novas. Os hipocampos também processam as lembranças verbais (palavras que são lidas, faladas ou ouvidas) e lembranças visuais (objetos, faces e lugares). O sintoma mais clássico da doença de Alzheimer, a perda de memória, é causado pelo dano aos hipocampos. Perto de cada hipocampo, os dois lobos temporais abrigam outra estrutura chamada de amígdala, que integra emoções, aprendizado emocional e memória emocional. (Muitas de nossas lembranças têm um componente emocional, vindo daí o termo *memória emocional*.) As amígdalas também nos capacitam a reconhecer as emoções que vemos em expressões faciais. Os lobos temporais também nos permitem ter consciência da música e ligar a música a pessoas e eventos da vida que sejam importantes em termos emocionais. Devido ao dano nos lobos temporais, indivíduos com Alzheimer podem se esquecer de pessoas mais próximas deles e perder as memórias emocionais associadas ao amor e ao cuidado relacionado a essas pessoas.

Os lobos parietais: o "GPS" interno

Os lobos parietais compreendem a metade superior do cérebro, indo em direção à parte de trás. Estão localizados atrás dos lobos frontais e acima dos lobos temporais. Esses lobos interpretam informações vindas de nossos cinco sentidos e aspectos da percepção visual que nos falam sobre tamanho, forma, cor e profundidade dos objetos. Os lobos parietais também ajudam no reconhecimento de objetos e rostos familiares. Uma pessoa com demência que atinja os lobos parietais pode se dirigir a um estranho e conversar com ele como se a pessoa fosse uma amiga do passado. O estranho provavelmente tinha um rosto de formato similar a alguém conhecido no passado, mas, devido ao dano no lobo parietal, a PCD não se lembra mais de detalhes da aparência daquela pessoa.

Juntamente com os lobos temporais, os lobos parietais trabalham com as habilidades matemáticas e a compreensão da linguagem. Os lobos parietais também ajudam na função visual-espacial. Essa função nos capacita a nos orientarmos em um espaço tridimensional, incluindo o discernimento entre esquerda e direita, que é importante em toda atividade física, incluindo atividades do dia a dia como subir e descer escadas e dirigir. O comprometimento da função visual-espacial é uma das razões pelas quais pessoas com DA terminam

APÊNDICE B: PARA SABER MAIS

apresentando dificuldade para dirigir, uma atividade complexa que envolve a integração das funções visual-espacial, memória e linguagem. Fazer um julgamento sobre a habilidade de um paciente de dirigir é uma das avaliações mais desafiadoras que um médico especializado em demência precisa fazer, e perder a capacidade de dirigir é uma das partes mais difíceis da jornada da DA.

Os lobos occipitais: os computadores que processam a visão

Os lobos occipitais estão localizados na parte de trás do cérebro e são responsáveis pelo processamento da informação visual vista pelos olhos. Os lobos occipitais normalmente não são afetados na doença de Alzheimer, mas de fato desempenham um papel em um tipo raro de demência chamado de atrofia cortical posterior (ACP). A ACP costuma se iniciar com dificuldades para realização de tarefas como leitura. Os especialistas ainda não determinaram se a ACP é um tipo singular de demência ou uma variação da doença de Alzheimer.[4]

LIGAÇÃO

No decorrer da última década, um grande progresso foi feito na compreensão da base cerebral dos relacionamentos, também conhecida como "neurobiologia interpessoal". O trabalho da dra. Bonnie Badenoch, uma terapeuta conjugal e familiar e instrutora na Universidade Estadual de Portland, foi fundamental para essa compreensão.[5, 6] Ela descreve vários componentes que ajudam a formar e manter as ligações que temos com nossos entes queridos. Numa definição simples, a ligação é o elo emocional entre as pessoas. As ligações começam no nascimento — na verdade, as primeiras ligações são as mais importantes — e são formadas durante a infância, a adolescência e a vida adulta.

No início do capítulo 5 conversamos sobre a dopamina, a substância química presente no cérebro que nos recompensa naturalmente quando damos ou recebemos amor. A dra. Badenoch diz que a dopamina está envolvida não apenas na recompensa, mas também em buscar relacionamento com a pessoa presente em nossa vida com a qual precisamos de conexão. Ela chama isso de "sistema de busca". Como destacamos no capítulo 5, quando estamos desconectados daqueles a quem amamos, experimentamos a angústia da separação, o pânico e o luto. Buscamos naturalmente a reconexão e, quanto mais difícil for se reconectar, mais a pessoa que a busca se apegará emocional e fisicamente àquele com quem está tentando se conectar. Na ausência de reconexão, aquele que busca expressará emoções negativas como raiva (até mesmo ira), tristeza e ansiedade. Essa pode ser exatamente a razão subjacente para muitos dos comportamentos negativos, incluindo agitação e desejo de "ir para casa", que frequentemente vemos nas pessoas com demência. É comum os membros da família responderem a esse apego físico e emocional com afastamento, quando o que é realmente necessário é a ligação e a conexão.

No contexto das pessoas com demência, à medida que as lembranças desaparecem, a demência progressivamente desconecta a pessoa afetada das ligações fundamentais que tem com pais, irmãos, cônjuge/parceiro e filhos. Por sua vez, os entes queridos estão experimentando perdas de ligação similares com seu cônjuge ou pai e mãe em um processo de luto em andamento. Muitos pensamentos, comportamentos e emoções desafiadores vistos numa pessoa com a doença de Alzheimer em relação a seus familiares são o resultado da perda de ligação.

APÊNDICE B: PARA SABER MAIS

As cinco linguagens do amor são ferramentas que ajudam os entes queridos a restabelecer ou manter tanta conexão quanto possível, sempre com atenção ao fato de que o Alzheimer é uma doença neurodegenerativa. Usando a metáfora da tapeçaria, isso significa que a doença nunca para seu incansável esgarçamento das "fibras" da ligação que são vitais para nossa identidade como mãe, pai, irmão, irmã, marido, esposa, filho, filha e amigo.

DEMÊNCIAS NÃO ALZHEIMER

Demência é um termo amplo que abrange uma grande gama de sintomas associados ao declínio cognitivo, incluindo perda de memória, incapacidade de completar tarefas complexas e mudanças de personalidade, humor e comportamento. Existem muitos tipos de demência. A doença de Alzheimer, como os leitores agora já sabem, é a demência mais comum. Veremos a seguir outros tipos de demência.

Demência frontotemporal (DFT) é um termo que abrange as condições que fazem com que porções dos lobos frontais e temporais do cérebro encolham e percam função. A DFT é o quarto tipo mais comum de demência e normalmente afeta pessoas mais jovens. A DFT afeta mais homens do que mulheres, com uma expectativa de vida média de 6 a 7 anos depois do diagnóstico. Pode ocorrer juntamente com outros tipos de demência ou doenças neurodegenerativas como a doença de Parkinson e a esclerose lateral amiotrófica (ELA), também conhecida como doença de Lou Gehrig. Pelo fato de os sintomas imitarem outras condições, a DFT às vezes é diagnosticada erroneamente como doença de Alzheimer, doença de Parkinson, psicose maníaco-depressiva, transtorno obsessivo-compulsivo ou esquizofrenia. Os distúrbios mais comuns da DFT afetam o comportamento e/ou a linguagem.

A demência com corpos de Lewy (DCL) é um termo que abrange formas de demência que resultam da presença de corpos de Lewy no cérebro. Os corpos de Lewy são depósitos anormais de proteína. A DCL normalmente se inicia depois dos 50 anos de idade, com uma sobrevida posterior ao diagnóstico que varia normalmente de 5 a 8 anos, mas que pode variar de 2 a 20 anos, dependendo do estágio da doença no momento do diagnóstico. Embora a DCL seja a terceira demência mais comum, normalmente não é reconhecida e pode receber diagnóstico errado porque, dependendo de quando os sintomas aparecem, podem se assemelhar a um distúrbio psicótico como a esquizofrenia, a doença de Alzheimer ou a doença de Parkinson. Para algumas pessoas, os primeiros sintomas podem ser alucinações, ilusões paranoicas e problemas com o sono REM. Os pacientes também experimentam altos e baixos imprevisíveis na atenção, concentração, prontidão, vigília e função cognitiva.

Outros pacientes apresentam inicialmente dificuldades com funções executivas (planejamento, resolução de problemas, multitarefa e julgamento) e problemas na questão visual-espacial que lembram a doença de Alzheimer. Outros sintomas comuns ao Alzheimer, como perda de memória, dificuldades com linguagem, apatia e ansiedade costumam ocorrer, mas talvez se tornem problemáticos apenas na fase avançada da doença, se aparecerem. Para outros ainda, a DCL começa com sintomas similares aos da doença de Parkinson que afetam tanto o movimento quanto a função corporal. Sintomas cognitivos aparecem mais tarde.

Demência mista é uma expressão que significa que existe a ocorrência de mais de um tipo de demência ao mesmo tempo.

APÊNDICE B: PARA SABER MAIS

Cerca de metade dos pacientes com doença de Alzheimer tem evidências de outro tipo de demência. Estudos recentes sugerem que a demência mista é mais comum do que se pensava anteriormente.[7]

Demência na doença de Parkinson (DDP) ocorre em 50% a 80% dos que têm a doença de Parkinson. Como acontece na demência com corpos de Lewy, a DDP resulta de depósitos anormais de proteína conhecidos como corpos de Lewy. Os sintomas da DDP podem incluir irritabilidade e ansiedade, problemas de sono, mudanças na concentração, julgamento e memória, assim como depressão, ilusões e alucinações visuais.

As **demências reversíveis** destacam a importância de buscar uma avaliação médica precoce quando ocorrerem perda de memória ou outros problemas cognitivos. Quando causada por doença ou ferimentos, a demência é irreversível. Alguns outros tipos de demência, porém, podem ser tratados com medicamentos e revertidos. De acordo com a Associação Americana de Alzheimer, uma revisão de muitos estudos descobriu que 9% das pessoas com sintomas semelhantes a alguma demência na verdade não tinham demência, mas sim condições com potencial de reversão. A causa mais comum de perda de memória reversível é a depressão. Outras causas de sintomas ligados à memória e à cognição com potencial de reversão incluem drogas (medicação prescrita ou drogas ilícitas), álcool, hipotireoidismo (baixa atividade da tireoide), hidrocefalia de pressão normal, tumor cerebral e deficiência de vitamina B12.

A **demência vascular** é o segundo tipo mais comum de demência, responsável por até 20% dos casos. Resulta da redução de fluxo sanguíneo para o cérebro, normalmente depois de vários derrames. A demência vascular pode coexistir com outro tipo de demência em cerca de 50% dos casos (veja *Demência mista*). Diferentemente das demências descritas acima, que progridem lentamente durante um período de anos, a demência vascular costuma se instalar de maneira abrupta após um derrame. Contudo, se a pessoa sofrer uma série de "pequenos derrames" por um período de meses ou anos, a demência vascular pode progredir lentamente. Uma pesquisa recente revelou que a demência vascular também pode resultar da doença de pequenos vasos cerebrais. A doença de pequenos vasos cerebrais resulta de danos ocorridos em pequenos vasos em regiões profundas do cérebro, na maioria das vezes devido à pressão alta.

As funções cognitivas afetadas pela demência vascular são similares àquelas impactadas pela DA, mas isso depende da localização do derrame. Enquanto a perda de memória, por exemplo, é vista em todos os casos de DA, ela pode ou não estar presente em casos de demência vascular.

APÊNDICE C

Recursos sugeridos

Os recursos mencionados a seguir estão em inglês, com exceção de algumas obras ou recursos já traduzidos para nosso idioma. Além desses, é possível encontrar na internet outros livros, recursos e entidades que lidam com doença de Alzheimer e demência em geral, bem como associações que apoiam parentes e cuidadores.

AS 5 LINGUAGENS DO AMOR

CHAPMAN, Gary. *As 5 linguagens do amor: Como expressar um compromisso de amor a seu cônjuge.* 3ª edição. (São Paulo: Mundo Cristão, 2013.)

CHAPMAN, Gary. *As 5 linguagens do amor para solteiros.* (São Paulo: Mundo Cristão, 2013.)

Livros, e-books, audiolivros, DVDs e aplicativos para celular disponíveis em www.5lovelanguages.com

DOENÇA DE ALZHEIMER

Livros de referência

MACE, Nancy L. e RABINS, Peter V. *The 36-Hour Day: A Family Guide to Caring for People Who Have Alzheimer's Disease, Related Dementias, and Memory Loss.* 5ª edição. (Grand Central Life & Style, 2012.)

PETERSEN, R., ed. *Mayo Clinic Guide to Alzheimer's Disease: The Essential Resource for Treatment, Coping and Caregiving.* (Rochester, MN: Mayo Clinic Health Solutions, 2009.)

DORAISWAMY, P. Murali, GWYTHER, Lisa P. e ADLER, Tina. *The Alzheimer's Action Plan.* 1ª edição. (New York, NY: St. Martin's Press, 2008.)

Livros para parceiros de cuidado e pessoas com demência

NEWMARK, Amy e GEIGER, Angela Timashenka. *Living with Alzheimer's & Other Dementias: 101 Stories of Caregiving, Coping, and Compassion.* 1ª edição. (Cos Cob, CT: Chicken Soup for the Soul Publishing, Ltd., 2014.)

SPENCER, Beth e WHITE, Laurie. *Coping with Behavior Change in Dementia: A Family Caregiver's Guide.* 1ª edição, 3 de abril de 2015.

BRACKEY, Jolene. *Creating Moments of Joy for the Person with Alzheimer's or Dementia: A Journal for Caregivers.* 4ª edição. (West Lafayette, IN: Purdue University Press, 2007.)

WOLFELT, Alan D. e DUVALL, Kirby J. *Healing Your Grieving Heart When Someone You Care About Has Alzheimer's: 100 Practical Ideas for Families, Friends, and Caregivers.* (Ft. Collins, CO: Companion Press, 2014.)

SNYDER, Lisa. *Living Your Best with Early Stage Alzheimer's: An Essential Guide.* (North Branch, MN: Sunrise River Press, 2010.)

RABINS, Peter V., LYKESTOS, Constantine G. e STEELE, Cynthia D., (eds.). *Practical Dementia Care.* 3ª edição. (Oxford University Press, 2016.)

GHENT-FULLER, Jennifer. *Thoughtful Dementia Care: Understanding the Dementia Experience.* 1ª edição. (Thoughtful Dementia Care, Inc., 2012.)

APÊNDICE C: RECURSOS SUGERIDOS

Botonis, Mara. *When Caring Takes Courage: A Compassionate, Interactive Guide for Alzheimer's and Dementia Caregivers.* (Parker, CO: Outskirts Press, Inc., 2014.)

Livros para crianças

Shriver, Maria. *What's Happening to Grandpa?* (Little, Brown Books for Young Readers, 2004.)

Scacco, Linda. *Always My Grandpa: A Story for Children about Alzheimer's Disease.* (Magination Press, 2005.)

Fox, Mem. *Wilfrid Gordon McDonald Partridge.* (Kane/Miller Book Publishers, 1989.)

Recursos do Instituto Nacional Americano para o Envelhecimento (National Institute on Aging)

Alzheimer's Disease: Unraveling the Mystery. National Institute on Aging, Publicação no. 08-3782. Faça o *download* (em inglês) em formato PDF em <https://www.nia.nih.gov/alzheimers/publication/alzheimers-disease-unraveling-mystery/more-information>.

Caring for a Person with Alzheimer's Disease: Your Easy-to-Use Guide from the National Institute on Aging, Publicação no. 09-6173, março de 2010. Faça o *download* (em inglês) em formato PDF em <https://www.nia.nih.gov/sites/default/files/caring-for-a-person-with-alzheimers-disease_1.pdf>.

Você poderá encontrar no endereço <https://www.nia.nih.gov/alzheimers>, disponível online ou para *download* em formato PDF, em inglês, informações e resumos sobre a doença de Alzheimer, sua relação com genética e medicação, além de orientações sobre esquecimento e perda de memória, aspectos legais e planejamento financeiro

Websites

Alzheimer's Association. <http://www.alz.org/br> (dispõe de materiais em português)

Alzheimer's Disease Education and Referral Center (ADEAR). <https://www.nia.nih.gov/alzheimers/> (dispõe de materiais em espanhol)

Alzheimer's Foundation of America. <http://www.alzfdn.org>

AARP Home & Family Caregiving. <http://www.aarp.org/home-family/caregiving/>

The Family Caregiver Alliance. <https://www.caregiver.org>

The Hartford Publications Home and Car Safety Guides. <https://www.thehartford.com/resources/mature-market-excellence/publications-on-aging>

Alzheimer's Caregiver Page. <https://www.nlm.nih.gov/medlineplus/alzheimerscaregivers.html> (dispõe de materiais em espanhol)

Orientações sobre como iniciar visitas significativas e de qualidade a pessoas que tenham a doença de Alzheimer ou demências relacionadas. <http://www.wistatedocuments.org/cdm/ref/collection/p267601coll4/id/157>

Alzheimer's Association Resource Listing: <http://www.alz.org/library/lists.asp#useful>

Alzheimer's Disease International: <http://www.alz.co.uk/>

Vídeos, filmes e documentários

Accepting the Challenge: Providing the Best Care for People with Dementia (produzido pela Alzheimer's North Carolina, Inc.). <http://www.healthpropress.com/product/accepting-the-challenge/>

I'll Be Me (the Glen Campbell Sunset Tour). <http://glencampbellmovie.com>

APÊNDICE C: RECURSOS SUGERIDOS

Inside the Brain: Unraveling the Mystery of Alzheimer's Disease. <https://www.nia.nih.gov/alzheimers/alzheimers-disease-video>

About Dementia Videos (Dementia 101, Teepa's GEMS, Brain Changes, Challenging Behaviors, Meaningful Activities, Music). Teepa Snow – Positive Approach to Brain Change. <http://teepasnow.com/resources/teepa-tips-videos/>

The Forgetting – A Portrait of Alzheimer's. <http://www.pbs.org/theforgetting/watch/>

Alive Inside (Henry's Story). <https://www.youtube.com/watch?v=SKO1ODNgbxs>

The Alzheimer's Project, HBO Documentary. <HBO.com/alzheimers/>

Trailer do filme *Para sempre Alice* (em inglês). <http://sonyclassics.com/stillalice/>

Newsletters

A *Caregiver* é uma *newsletter* (boletim) do Programa de Apoio à Família na questão da doença de Alzheimer da Universidade Duke. Escrita por Lisa Gwyther, e Bobbi Matchar, está disponível em <http://www.dukefamilysupport.org/>.

Perspectives, uma *newsletter* trimestral para pessoas com demência e seus parceiros de cuidado. Escrita por Lisa Snyder, do Centro Shiley-Marcos de Pesquisa em doença de Alzheimer, disponível através de pedidos enviados ao *e-mail* lsnyder@ucsd.edu.

OUTRAS DEMÊNCIAS

Demência frontotemporal

Livros e livretos

RADIN, Gary e RADIN, Lisa. *What If It's Not Alzheimer's? A Caregiver's Guide to Dementia.* 3a edição. Prometheus Books, 2014.

Frontotemporal Disorders: Information for Patients, Families, and Caregivers. National Institute of Neurological Disorders and Stroke, publicação no. 14-6361. Faça o download do arquivo (em inglês) em formato PDF ou peça uma cópia impressa em <https://www.nia.nih.gov/alzheimers/publication/frontotemporal-disorders/basics-frontotemporal-disorders>.

Websites

Associação de Degeneração Frontotemporal (The Association for Frontotemporal Degeneration, AFTD). <http://www.theaftd.org>

FTD Care Partnering. <http://ftdsupport.com>

UCSF Medical Center. <http://memory.ucsf.edu/ftd/>

Página de recursos ligados à DFT (FTD Resource Page). <https://www.nia.nih.gov/alzheimers/publication/frontotemporal-disorders-resource-list>

Demência com corpos de Lewy

Livros e livretos

WHITWORTH, Helen Buell e WHITWORTH, James. *A Caregiver's Guide to Lewy Body Dementia.* Demos Health, 2010.

Lewy Body Dementia: Information for Patients, Families, and Professionals, National Institute of Neurological Disorders and

APÊNDICE C: RECURSOS SUGERIDOS

Stroke, publicação no. 15-7907. Faça o download do arquivo (em inglês) em formato PDF ou peça uma cópia impressa em <https://www.nia.nih.gov/alzheimers/publication/lewy-body-dementia/introduction>.

Sites e outros

Associação Americana de Demência com corpos de Lewy (Lewy Body Dementia Association). <www.lewybody dementia.org/>

Página de Demência com corpos de Lewy no NINDS <http://www.ninds.nih.gov/disorders/dementiawithlewybodies/dementiawithlewybodies.htm>

Site sobre Demência com corpos de Lewy da Clínica Mayo: <http://www.mayoclinic.org/diseases-conditions/lewy-body-dementia/basics/definition/CON-20025038?p=1>.

Newsletter eletrônica da Lewy Body Digest. Inscrições em <https://www.lbda.org/content/sign-lewy-body-digest-0>

Demência Vascular

National Stroke Association: <http://www.stroke.org/we-can-help/survivors/stroke-recovery/post-stroke-conditions/cognition/vascular-dementia>

National Institute of Neurological Disorders and Stroke: <http://www.ninds.nih.gov/disorders/multi_infarct_dementia/multi_infarct_dementia.htm>

Agradecimentos

Desde o começo deste projeto percebemos que, assim como o cuidado em parceria, escrever um livro também é um esporte coletivo. Muitas pessoas nos incentivaram e ajudaram ao longo do caminho, e gostaríamos de expressar nossa gratidão.

Especialmente agradecemos as pessoas que leram todas as partes do manuscrito, buscando e corrigindo erros de digitação, compartilhando ideias e oferecendo sugestões que verdadeiramente melhoraram nosso trabalho:

Erin Washington
Chris Barr
Leah Shaw
Karolyn Chapman
Dwight Harris
Carrie Shaw
Chris Wynne
Samantha Rogers

Não podemos deixar de destacar quem nos apoiou de maneira entusiasmada com textos encorajadores, *e-mails*, cartões, bondade e orações:

Eileen Hamilton	Joan Long
Dee F. Johnson	Anne Wagner
Linda C. Hill	Beth Lineberry
Sandra Swartz	Dr. Elizabeth A. May

AGRADECIMENTOS

Bob Long
Beth Yancey
Joe Lineberry
Don Bell
Dwight Harris
Jeannie Yarbrough

Cynthia Baldwin
Janet Parrish
Debbie Gilreath
Andrea Buczynski
Sheri Bowman
Denise Tate

Incluímos agradecimentos especiais para a dra. Christina Hugenschmidt (PhD) e para a dra. Julie Williams por compartilharem conosco de maneira generosa sua expertise profissional. Agradecemos também aos nossos transcritores Bethany Boggs, Charla Craver Posey e Mary Benfield.

Sinceramente queremos expressar de maneira especial nossa gratidão aos 12 parceiros de cuidado que compartilharam abertamente suas histórias conosco em entrevistas individuais e/ou por meio da participação no grupo focal. Para garantir seu anonimato, não usamos seus nomes verdadeiros, mas todos eles são nossos conhecidos pessoais, os quais consideramos com a mais elevada estima. A história de cada um nos deu uma visão profunda tanto do relacionamento do parceiro de cuidado com o paciente de demência quanto da experiência de parceria de cuidado. Coletivamente, suas experiências formam um conjunto singular de pesquisa qualitativa que buscamos representar fielmente neste volume.

Notas

Capítulo 1

[1] Alzheimer's Association. "Younger/Early Onset Alzheimer's". <http://www.alz.org>.

[2] George Kraus. *Helping the Alzheimer's Patient: Plain Talk and Practical Tools*. DVD apresentado pelo PESI. Copyright 2011, MEDS PDN, Eau Claire, Wisconsin.

[3] Alzheimer's Association. "2016 Alzheimer's Disease Facts and Figures". Disponível em <http://www.alz.org/documents_custom/2016-facts-and-figures.pdf>, p. 10, 17, 18, 19, 30 e 32.

Capítulo 2

[1] Gary Chapman. *As 5 linguagens do amor: Como expressar um compromisso de amor a seu cônjuge*. 3ª edição. (São Paulo: Mundo Cristão, 2013), p. 31-33.

[2] *Strong's Exhaustive Concordance of the Bible*, "Hesed." Número na concordância de Strong: 2617.

[3] Lois Tverberg. "Hesed: Enduring, Eternal, Undeserved Love" (blog), 2 de maio de 2012. Disponível em <http://ourrabbijesus.com/2012/05/02/hesed-enduring-eternal-undeserved-love/>.

[4] Gary Chapman. *As 5 linguagens do amor*, p. 37-130.

[5] Alzheimer's Society. "Dementia and the Brain". Factsheet 456LP. Última revisão: setembro de 2014. Disponível em <https://www.alzheimers.org.uk/site/scripts/documents_info.php?documentID=114>.

[6] S.J. Cutler. "Worries about getting Alzheimer's: who's concerned?" *Am J Alzheimers Dis Other Demen* 30, n. 6 (2015), p. 591-598. doi: 10.1177/1533317514568889. Epub 4 de fevereiro de 2015.

NOTAS

[7] Maia Szalavitz. "Friends With Benefits: Being Highly Social Cuts Dementia Risk by 70%". <http://healthland.time.com/2011/05/02/friends-with-benefits-being-highly-social-cuts-dementia-risk-by-70/>.

[8] Honor Whiteman, "Alzheimer's Association International Conference 2015: the highlights". *Medical News Today.* 23 de julho de 2015. <http://www.medicalnewstoday.com/articles/297228.php>.

[9] Tjalling Jan Holwerda et al. 2014. "Feelings of loneliness, but not social isolation, predict dementia onset: results from the Amsterdam Study of the Elderly (AMSTEL)". *J Neurol Neurosurg Psychiatry* 85, n. 2 (2014), p. 135-142.

[10] Thai Nguyen. "Hacking Into Your Happy Chemicals: Dopamine, Serotonin, Endorphins and Oxytocin". <http://www.huffingtonpost.com/thai-nguyen/hacking-into-your-happy-c_b_6007660.html>. Atualizado em 20/12/2014.

[11] Gary Chapman. *As 5 linguagens do amor*, p. 169.

[12] James Beauregard. "Dementia: Behavioral Health Assessments and Interventions for Practitioners". Cross Country Education Seminar, 9 de outubro de 2015, Greensboro, NC. Workbook, p. 94.

[13] Gary W. Small, et al. "Diagnosis and treatment of Alzheimer disease and related disorders: consensus statement of the American Association for Geriatric Psychiatry, the Alzheimer's Association, and the American Geriatrics Society". *JAMA* 278, n. 16 (1997), p. 4-6.

Capítulo 3

[1] George Kraus. *Helping the Alzheimer's Patient: Plain Talk and Practical Tools*. DVD apresentado pelo PESI. Copyright 2011, MEDS PDN, Eau Claire, Wisconsin.

[2] Nancy L. Mace e Peter V. Rabins. *The 36-Hour Day: A Family Guide for People Who Have Alzheimer's Disease, Related Dementias, and Memory Loss* (Baltimore: The Johns Hopkins University Press, 2011), p. 37.

[3] George Kraus. *Helping the Alzheimer's Patient: Plain Talk and Practical Tools*.

[4] Carole B. Larken. "Me and My Alzheimer's Shadow." <http://www.alzheimersreadingroom.com>.

5 Peter V. Rabins. Prefácio do livro de Kenneth J Doka e Amy S. Tucci, orgs. *The Longest Loss: Alzheimer's Disease and Dementia* (Washington: Hospice Foundation of America), 2015, iii-iv.

6 Alzheimer's Association. "2016 Alzheimer's Disease Facts and Figures". <http://www.alz.org/documents_custom/2016-facts-and-figures.pdf>, p. 32.

7 Alzheimer's Association. "2016 Alzheimer's Disease Fact and Figures", p. 36.

8 U.S. Department on Health and Human Services, Office of Women's Health. "Caregiver Stress: Frequently Asked Questions". <www.womenshealth.gov>.

9 Alzheimer's Association. "2016 Alzheimer's Disease Facts and Figures", p. 36.

10 C. Cooper, A. Selwood, M. Blanchard, Z. Walker, R. Blizard e G. Livingston. (2009). "Abuse of people with dementia by family carers: representative cross sectional survey," British Medical Journal, 338, b155.

11 A. Wiglesworth, L. Mosqueda, R. Mulnard, S.Liao, L. Gibbs e W. Fitzgerald, "Screening for abuse and neglect of people with dementia," *Journal of the American Geriatrics Society* 58, no. 3 (2010), p. 493–500.

12 Johns Hopkins Medicine. "Spouses Who Care For Partners With Dementia at Sixfold Higher Risk of Same Fate: Stress of caregiving may be to blame". Release para a imprensa de 5 de maio de 2010. <http://www.hopkinsmedicine.org>.

13 Richard Schulz e Scott R. Beach. 1999. "Caregiving as a Risk Factor for Mortality: The Caregiver Health Effects Study". *JAMA*. 282, n. 23 (199), p. 2215–2219.

14 Alzheimer's Association. "2015 Alzheimer's Disease Fact and Figures", p. 39.

15 National Institute on Aging, National Institutes of Health, *Alzheimer's Disease: Unraveling the Mystery.* Publicação no. 08-3782. <https://www.nia.nih.gov/alzheimers/publication>.

16 Alan D Wolfelt. "Dispelling Five Common Myths About Grief" (panfleto do seminário). Exploring Complicated Mourning: Sudden

NOTAS

Death and Trauma Loss. Seminário apresentado no Hospice of Davidson County, Lexington, NC, 21 de outubro de 2015.

[17] Pauline Boss. *Loving Someone Who Has Dementia: How to Find Hope While Coping with Stress and Grief* (San Francisco: Jossey-Bass: 2011), p. 165.

[18] Gary Chapman. *As 5 linguagens do amor: Como expressar um compromisso de amor a seu cônjuge*. 3ª edição (São Paulo: Mundo Cristão, 2013), p. 47.

[19] Ibid, p. 57.

[20] Ibid, p. 84.

[21] Ibid, p. 182.

[22] Alzheimer's Association. "2016 Alzheimer's Disease Fact and Figures", p. 19.

[23] Alzheimer's Association. "Cultural Competence". <http://www.alz.org/Resources/Diversity/downloads/GEN_EDU-10steps.pdf>.

[24] Nancy L. Mace e Peter V. Rabins, *The 36-Hour Day*, p. 407.

[25] Debbie Barr. *A Season at Home: The Joy of Fully Sharing Your Child's Critical Years* (Grand Rapids: Zondervan, 1993), p. 168.

[26] Lauren G. Collins e Kristine Swartz. 2011. "Caregiver Care." *American Family Physician* 83, n. 11 (2011), p. 1310. <www.aafp.org/afp>.

[27] Johns Hopkins Medicine. "Spouses Who Care For Partners With Dementia at Sixfold Higher Risk of Same Fate: Stress of caregiving may be to blame". Release para a imprensa de 5 de maio de 2010. <http://www.hopkinsmedicine.org>.

[28] Akemi Hirano, et al. "Influence of regular exercise on subjective sense of burden and physical symptoms in community-dwelling caregivers of dementia patients: A randomized controlled trial". *Arch Gerontol Geriatr* 53, n. 2 (Sep-Out 2011): e158-63. doi: 10.1016/j.archger.2010.08.004. Epub 17 de setembro de 2010.

[29] Massachusetts General Hospital. 2015. "How to Lower Risk for Beta-Amyloid Accumulation". *Mind, Mood & Memory*. 11, n. 9 (2015), p. 4.

Capítulo 4

[1] Nancy L. Mace e Peter V. Rabins. *The 36-Hour Day: A Family Guide for People Who Have Alzheimer's Disease, Related Dementias, and Memory Loss* (Baltimore: The Johns Hopkins University Press, 2011), p. 384.

MANTENHA VIVO O AMOR ENQUANTO AS MEMÓRIAS SE APAGAM

[2] Alan D Wolfelt. "Exploring Complicated Mourning: Sudden Death and Trauma Loss". Seminário apresentado no Hospice of Davidson County, Lexington, NC, 21 de outubro de 2015.

[3] Alzheimer's Society. "Dementia and the Brain". Factsheet 456LP. Última consulta: setembro de 2014. <https://www.alzheimers.org.uk/site/scripts/documents_info.php?documentID=114>.

[4] Juebin Huang. "Brain Dysfunction by Location". Neurologic Disorders, Merck Manuals Professional Edition. <http://www.merckmanuals.com/home/brain, -spinal-cord, -and-nerve-disorders/brain-dysfunction/brain-dysfunction-by-location>.

[5] J. Riley McCarten. 2013. "Clinical evaluation of early cognitive symptoms." *Clin Geriatr Med* 29, n. 4 (2013), p. 791-807. doi: 10.1016/j.cger.2013.07.005.

[6] Eric H. Chudler, "Lobes of the Brain", Neuroscience for Kids. <https://faculty.washington.edu/chudler/lobe.html>.

[7] Cedars-Sinai Medical Center. "Neurons in Brain's 'Face Recognition Center' Respond Differently in Patients with Autism". Release para a imprensa de 20 de novembro de 2013. <http://cedars-sinai.edu/About-Us/News/News-Releases-2013/Neurons-in-Brains-Face-Recognition-Center-Respond-Differently-in-Patients-With-Autism.aspx>.

[8] Nancy L Mace e Peter V. Rabins. *The 36-Hour Day*, p. 385.

[9] Karen Leigh. "Communicating with Unconscious Patients". 2001. *Nursing Times*. 97, n. 48 (2001), p. 35.

[10] Geoffrey Lean. "'Locked in a coma, I could hear people talking around me.'" *The Telegraph*. 24 de novembro de 2009. <http://www.telegraph.co.uk/news/health/6638155/Locked-in-a-coma-I-could-hear-people-talking-around-me.html>.

[11] Joanne Koenig Coste. *Learning to Speak Alzheimer's: A Groundbreaking Approach for Everyone Dealing with the Disease*. New York: Mariner Books, 2004, p. 7.

[12] John Riehl. 2014. "Alzheimer's patients can still feel the emotion long after the memories have vanished". IowaNow. <http://now.uiowa.edu/2014/09/alzheimers-patients-can-still-feel-emotion-long-after-memories-have-vanished>.

NOTAS

[13] Edmarie Guzma et al. "Feelings Without Memory in Alzheimer Disease". *Cogn Behav Neurol* 27 (2014), p. 117–129.

[14] Paul R. McHugh. Prefácio do livro *The 36-Hour Day*, p. xviii.

[15] Gary Chapman. *As 5 linguagens do amor: Como expressar um compromisso de amor a seu cônjuge.* 3ª edição (São Paulo: Mundo Cristão, 2013), p. 31, 32.

[16] Sophie Behrman et al. "Considering the senses in the diagnosis and management of dementia", 2014. *Maturitas* 77, n. 4 (2014), p. 305-310.

[17] Jolene Brackey. *Creating Moments of Joy for Persons with Alzheimer's or Dementia.* 4a. edição. West Lafayette, Indiana: Purdue University Press, 2007, p. 13.

[18] Gary Chapman. *As 5 linguagens do amor*, p. 86.

[19] Gary Chapman e Ross Campbell, *The 5 Love Languages of Children* (Chicago: Northfield Publishing, 2012), p. 8.

Capítulo 5

[1] Nancy L. Mace e Peter V. Rabins. *The 36-Hour Day: A Family Guide for People Who Have Alzheimer's Disease, Related Dementias, and Memory Loss* (Baltimore: The Johns Hopkins University Press, 2011), p. 17-18.

[2] Dicionário Eletrônico Houaiss, 2001, verbete "linguagem".

[3] Alzheimer's Foundation of America. "Music". <http://www.alzfdn.org/EducationandCare/musictherapy.html>.

[4] Jonathan Graff-Radford. "How can music help people who have Alzheimer's disease?" <www.mayoclinic.org/diseases-conditions/alzheimers-disease/expert-answers/music-and-alzheimers/faq-20058173>.

[5] L.E., Maguire et al. "Participation in Active Singing Leads to Cognitive Improvements in Individuals with Dementia". *J Am Geriatr Soc.* 63 (2015), p. 815-816. doi: 10.1111/jgs.13366.

[6] Alissa Sauer. "5 Reasons Why Music Boosts Brain Activity". (Blog) 21 de julho de 2014. <http://www.alzheimers.net/2014-07-21/why-music-boosts-brain-activity-in-dementia-patients/>.

[7] Nicholas R., Simmons-Stern et al. "Music as a memory enhancer in patients with Alzheimer's disease". *Neuropsychologia* 48, n. 10 (2010),

p. 3164-3167. Publicado online em 7 de maio de 2010. doi: 10.1016/j. neuropsychologia.2010.04.033

[8] Conan Milner. "Opera Singer Turned Neuroscientist Uses Music as Medicine for Dementia, Autism, and More". *Epoch Times*, 26 de novembro de 2015. <http://www.theepochtimes.com/n3/1905111-opera-singer-turned-neuroscientist-uses-music-as-medicine-for-dementia-autism-and-more/>.

[9] John Schmid. "Music Therapy for Alzheimer's". Best Alzheimer's Products, 4 de novembro de 2014. <www.best-alzheimers-products.com/>.

[10] Loretta Quinn. "A Music Therapist Looks at Dementia". Best Alzheimer's Products, 6 de novembro de 2014. <www.best-alzheimers-products.com/music-therapist-looks-dementia.html>. [N. do T.: A autora menciona "The Hokey Pokey", uma cantiga de roda infantil que instrui os participantes a fazerem movimentos bastante simples como mexer as mãos e os pés, levantar-se, sentar-se, etc. Uma opção conhecida em português é *Pai Abraão*.]

[11] Earl Henslin. *This is Your Brain on Joy: How the New Science of Happiness Can Help You Feel Good and Be Happy* (Nashville: Thomas Nelson, 2008), p. 47-48.

[12] Mary Ellen Geist. "The Healing Power of Music". *AARP Bulletin*. julho/agosto de 2015.

[13] Mary Mittelman. "NYU Caregiver/Family Counseling Intervention". Palestra proferida na Wake Forest School of Medicine durante a Conferência sobre Aconselhamento e Cuidado em Demência em Winston-Salem, NC, 8 a 10 de maio de 2014.

[14] Sylvia Sörensen et al. 2002. "How effective are interventions with caregivers? An updated meta-analysis". *Gerontologist* 42, n. 3 (2002), p. 356-372.

Capítulo 6

[1] Gary Chapman. *As 5 linguagens do amor: Como expressar um compromisso de amor a seu cônjuge.* 3ª edição (São Paulo: Mundo Cristão, 2013), p. 42.

[2] Gary Chapman, *As 5 linguagens do amor,* p. 47.

NOTAS

[3] Clínica Mayo. "Lewy body dementia". <http://www.mayoclinic.org/diseases-conditions/lewy-body-dementia/basics/definition/con-20025038>.

[4] Lewy Body Dementia Association. "Capgras Syndrome in DLB Associated with Anxiety and Hallucinations". <https://www.lbda.org/content/capgras-syndrome-dlb-associated-anxiety-and-hallucinations-0>.

[5] Alzheimer's Association. "Frontotemporal Dementia". <http://www.alz.org/dementia/fronto-temporal-dementia-ftd-symptoms.asp>.

[6] The Association for Frontotemporal Degeneration, "FAQ". <http://www.theaftd.org/life-with-ftd/newly-diagnosed/faq>.

[7] University of California, San Francisco. "Frontotemporal Dementia Overview". <http://memory.ucsf.edu/ftd/overview>.

[8] Gary Chapman, *As 5 linguagens do amor*, p. 159

Capítulo 7

[1] Jennifer Ghent-Fuller. *Thoughtful Dementia Care: Understanding the Dementia Experience.* 1ª edição (Thoughtful Dementia Care, Inc., 2012), Edição para Kindle, p. 166.

Capítulo 8

[1] Alzheimer's Association. "2016 Alzheimer's Disease Facts and Figures". <http://www.alz.org/documents_custom/2016-facts-and-figures.pdf>, p. 17.

[2] Ibid, p. 23.

[3] Ibid, p. 56.

Apêndice A

[1] Rebecca G. Logsdon and Linda Teri, "The Pleasant Events Schedule-AD: Psychometric Properties and Relationship to Depression and Cognition in Alzheimer's Disease Patients", *The Gerontologist* 37, n. 1 (1997), p. 40-45.

[2] Adaptado de *Creating Moments of Joy for Persons with Alzheimer's or Dementia*, 4a edição, de Jolene Brackey. Usado com permissão da Purdue University Press.

Apêndice B

[1] Steven A. Goldman. "Brain". Manual da Merck, versão para consumidores. <https://www.merckmanuals.com/home/brain,-spinal-cord, -and-nerve-disorders/biology-of-the-nervous-system/brain>.

[2] Brain Injury Alliance of Utah. "Cognitive Skills of the Brain". <http://biau.org/about-brain-injuries/cognitive-skills-of-the-brain/>.

[3] J. Riley McCarten. 2013. "Clinical evaluation of early cognitive symptoms". *Clin Geriatr Med.* 29, n. 4 (2013), p. 791-807. doi: 10.1016/j. cger.2013.07.005.

[4] Alzheimer's Association. "Posterior Cortical Atrophy". <http://www.alz.org/dementia/posterior-cortical-atrophy.asp>.

[5] Bonnie Badenoch. 2008. *Being a Brain-Wise Therapist: A Practical Guide to Interpersonal Neurobiology*, 1ª edição (New York: W. W. Norton & Company), 2008.

[6] Attachment & Emotion Regulation: Brain-Based Therapy and Practical Neuroscience. CD de áudio, PESI, Inc. CMI Education. Copyright 2012.

[7] Alzheimer's Association. "2016 Alzheimer's Disease Facts and Figures". <http://www.alz.org/documents_custom/2016-facts-and-figures.pdf>, p. 7.

Compartilhe suas impressões de leitura,
mencionando o título da obra, pelo e-mail
opiniao-do-leitor@mundocristao.com.br
ou por nossas redes sociais

Esta obra foi composta com tipografia Adobe Caslon Pro e Europa
e impressa em papel Pólen Natural 70 g/m² na gráfica Imprensa da Fé